Une idéologie québécoise

de Louis-Joseph Papineau à Pierre Vallières

Collection Histoire
dirigée par Jean-Pierre Wallot

Déjà parus dans
la même collection:

Fernand Ouellet
Eléments d'histoire sociale du Bas-Canada

L'Hôtel-Dieu de Montréal
(en collaboration)

Jean-Louis Roy
Edouard-Raymond Fabre, libraire et patriote canadien 1799-1854

Richard Chabot
Le curé de campagne et la contestation locale au Québec de 1791 aux troubles de 1837-38

Nadia F. Eid
Le clergé et le pouvoir politique au Québec

Georges Vincenthier

Une idéologie québécoise

de Louis-Joseph Papineau à Pierre Vallières

Collection Histoire

Cahiers du Québec/Hurtubise HMH

Le Ministère des Affaires culturelles
a accordé une subvention
pour la publication de cet ouvrage

Maquette de la couverture:
Pierre Fleury

Editions Hurtubise HMH, Limitée
7360, boulevard Newman
Ville LaSalle, Québec
H8N 1X2
Canada

Tél.: (514) 364-0323

ISBN 2-89045-195-X

Dépôt légal / 3e trimestre 1979
Bibliothèque Nationale du Québec
Bibliothèque Nationale du Canada

Imprimé au Canada

Table des matières

Page

Sans ignorer ce qui reste à faire et à refaire, et tout en sachant bien qu'on ne connaît bien un arbre que par l'étude minutieuse des racines et des branches, nous pensons qu'il est utile, quelquefois, de tracer des voies provisoires dans les confuses forêts.

PAUL HAZARD

Avertissement

IN ILLO TEMPORE...

Une dizaine d'années déjà se sont écoulées depuis ce temps où nous entreprenions la réflexion qui allait déboucher sur l'écriture de l'essai que nous présentons aujourd'hui. Pourquoi avoir attendu si longtemps pour livrer ce texte au public? D'abord parce que trop près du manuscrit, nous en sur ou sous-estimons la valeur. Ensuite parce que toute cette réflexion sur la pensée québécoise nous avait conduit à un certain malaise, à une grande inquiétude... voire même à «cette impatience de mourir» dont parle la conclusion. Et encore: nous savions que nous nous étions engagé à fond dans cette réflexion, et que partant son utilité, sa fonction était plus personnelle que collective; plus le point sur notre propre démarche que sur celle de toute une collectivité. Pour ces raisons il nous semblait préférable de laisser refroidir le manuscrit.

A quelques années de distance, nous avons revu notre exercice de style. Nous sautèrent aux yeux alors les défauts et les prétentions du texte: cette documentation forcée, ces jugements à l'emporte-pièce, péremptoires, tout pleins d'émotivité... Et nous allions rendre à la poussière ce que le temps et les voyages lui avaient confié. Il nous apparaissait maintenant avec évidence qu'il n'y avait là guère plus que les feuillets du journal intime d'un jeune intellectuel excité par l'effervescence de la «débâcle tranquille», et déjà fatigué de l'éternelle et velléitaire remise en question de lui-même et de la collectivité dont il relevait.

Et puis lentement l'intérêt du manuscrit nous apparut: ce qui en soulignait les défauts révélait aussi son intérêt. Cet essai se tenait «à mi-chemin entre la libre réflexion et l'érudition scientifique», prévenions-nous dans l'introduction. Et nous nous aperçûmes qu'il y avait plutôt beaucoup plus de «réflexion» que d'érudition; plus d'émotion, d'espérance, d'inquiétude et d'angoisse que de cogitation sévère; plus de conversation, que de discours; plus d'amour — de haine peut-être — que d'analyse; plus de confidences que de découvertes. Il ne s'agissait plus alors d'un essai pseudo-scientifique, mais bel et bien d'un journal reflétant les inquiétudes et les recherches parfois désespérées de ce jeune universitaire que nous étions alors et qui cherchait, ne pouvant trouver ailleurs, dans les fonds de bibliothèques, à se connaître, appelant ses pairs à la rescousse de sa solitude en friche et en défriche, trouvant ici prétexte à réponse et là germe de question. Et, en effet, nous trouverons là beaucoup moins une «histoire des idées» que les idées que cherchait à se faire de l'histoire un jeune Québécois de cette belle décennie pendant laquelle nous avons l'un après l'autre dépoli ou redoré les dieux de nos pères.

En ce sens, il faut lire cet essai qui se présente simplement comme le «journal de cet inquisiteur» que nous étions tous, dans ces années si lointaines où nous demandions comment et pourquoi être... ou devenir.

Introduction

«La création du monde a eu lieu sur le rocher de Québec. Face au fleuve»[1]. La vision du poète Anne Hébert est juste. Qui que l'on soit, fils de l'empire romain ou fils de Québec, le monde c'est soi... et tout le reste tourne autour de ce pivot unique. Chaque élément, constituant cet univers particulier, devient propriété et caractéristique spécifique du monde qui l'assimile en le faisant sien. Il nous sera donné dans cet essai d'explorer l'univers idéologique québécois. Il est sûr que ce groupe ethnique jeune encore, aussi pauvre et aussi riche, tant au niveau culturel qu'au niveau économique, ne peut avoir de pensée qu'en puisant aux larges et intarissables sources de la pensée humaine. Dès l'abord un chercheur, un critique peut être tenté de chercher dans chaque texte de chaque penseur indigène «la source», l'emprunt, le plagiat. Nous voulons nous garder de cette tentation facile et éviter de jouer les Sherlock Holmes d'occasion. Peu nous chaut la quête des sources et nous laisserons à d'autres le soin de déterminer le *quid proprium* québécois. Nous sommes intéressé moins par l'originalité de la pensée que par son expression et son développement historique. Sera *Pensée québécoise* ce qui est exprimé par les Québécois: qu'ils aient fait leur la pensée d'autrui, ou que leur pensée soit le fruit d'une cogitation personnelle plus ou moins laborieuse ne fait aucune différence. L'histoire des idées n'a que faire des droits d'auteurs. La pensée devient création sous les rouleaux des imprimeurs autochtones.

La quête des sources souvent n'est qu'un prétexte pour oublier le message que livre une pensée. Et comme l'on craignait la pensée au Québec, on s'est très souvent servi de ce refuge. On a, ici, pendant très longtemps, oublié d'étudier la littérature québécoise à tous les niveaux d'enseignement. Cet aspect capital de la société était négligé comme si l'on craignait que l'individu, se regardant lui-même,

---

1 Anne Hébert, «Le Québec, cette aventure démesurée», dans *Un centenaire 1867-1967,* brochure distribuée par *La Presse,* semaine du 13 février 1967, p. 16.

soit amené à porter un jugement réprobateur sur lui-même, sur ses dirigeants et sur la société que les uns et les autres formaient... pour le plus grand profit des autres. Forcé par les circonstances, bousculé par un mouvement dont on avait méconnu la force irréversible, entraîné par les exigences d'étudiants désireux de se mieux connaître à travers les écrits de leurs pairs, on daigna enfin descendre de sa chaire et faire monter de palier en palier l'enseignement de la littérature québécoise. Une dernière barrière cependant demeurait. Si l'on acceptait de parler de la poésie «médiocre il n'y a pas longtemps encore», des romans «sans aucun intérêt artistique ou intellectuel», on ne se portait jamais jusqu'à étudier ou à découvrir la pensée québécoise. L'histoire des idées, comme l'avait été longtemps la littérature, était négligée parce que non intéressante, peu originale et, en tout état de cause, peu propice à former une tête bien faite. Cet «oubli» de la littérature idéologique québécoise était, sans doute inconsciemment, le dernier refuge de l'*establishment* intellectuel et le plus perfide. Comme la connaissance de la littérature québécoise avait conduit beaucoup d'étudiants à une prise de conscience sociale déterminante, ainsi l'histoire des idées pourrait amener une révision de la société et surtout une meilleure intelligence de soi et des autres. Combien plus pertinente à l'histoire des idées est cette affirmation de Jean-Charles Falardeau à propos du roman:

> La littérature a été avant tout un instrument de combat social ou politique, un refuge, une soupape de sûreté. Rendre compte de notre littérature canadienne-française c'est, dans une large mesure, récapituler l'aventure de la collectivité humaine pour qui elle a été un cri ou une évasion.[2]

Mais dans le roman comme dans la poésie on peut toujours affirmer que tout cela n'est qu'imagination et littérature. Alors que dans un texte de polémique, la réalité de la pensée est toute là: il n'est point possible de l'éviter.

En étudiant l'histoire des idées au Québec, nous avons poursuivi deux buts. D'abord rendre à la pensée son droit en la faisant renaître de ses poussières. Et puis redonner à l'individu québécois cette pensée qui l'a façonné et dont il est tributaire. Mais au départ et particulièrement à cause de l'étendue chronologique de notre essai, il faut lever le préjugé de l'inexistence «à toute fin pratique» d'une littérature idéologique de longue date au Québec. L'ignorance de l'existence d'une telle littérature en dit d'autant plus long sur le silence plus ou moins complice et plus ou moins inconscient qui l'entoure que

---

2 J.-C. Falardeau, *Notre société et son roman*, p. 48.
On trouvera dans la bibliographie les références complètes des ouvrages cités.

des témoignages négatifs nous viennent de gens tout proches encore des polémiques les plus célèbres. Le nom de Jules Fournier, qui n'avait pourtant rien, ou si peu, d'un conservateur de sacristie, suffit à nous rappeler comment, et avec quelle conviction, on niait l'existence d'une pensée pourtant fort active et lourde de conséquence. Et nous sommes encore frappé d'étonnement lorsqu'en 1926 — après les luttes parlementaires de Papineau, après les querelles de l'Institut canadien de Montréal, après l'apostolat d'Henri-Raymond Casgrain, après l'encore toute jeune, mais combien vivante *Action française* — Jean-Charles Harvey croit nécessaire de demander la permission au lecteur d'appeler «littérature canadienne» «quelques centaines d'écrits de médiocre valeur» [3]. Nous savons bien que l'auteur des *Demi-civilisés* a dans l'esprit des œuvres d'imagination, tels les romans, la poésie ou le théâtre. Mais qu'il exclue, comme cela a priori, toute la littérature d'idée, non seulement cela nous étonne — et surtout de la part de cet écrivain — mais nous éclaire sur tout un aspect de la critique et de l'histoire littéraire au Québec: la mise en veilleuse de tout ce qui pouvait gêner, condamner, juger. Parce qu'enfin les idées se sont exprimées au Québec tant au XIXe qu'au XXe siècle. Il y a une pensée qui se forme, qui naît, qui se défend, qui condamne dès la fin du XVIIIe siècle: de récents travaux nous le montrent bien; et la lecture des journaux de l'époque, ainsi que des revues postérieures nous en apporte une preuve irréfutable. Une réflexion s'amorce dans les débuts hésitants du XIXe siècle. Une réflexion qui s'édifie, qui se structure, qui se cristallise bientôt en des œuvres ou des articles qui témoignent d'une pensée à l'œuvre dont l'action structurera non seulement la société où elle prend naissance mais les individus qu'elle marquera d'un seing indélébile que l'on a souvent cherché à maquiller.

Afin de ne pas alourdir un travail dont l'objet de recherche pouvait s'étendre trop, nous nous sommes attardé surtout aux courants les plus importants et aux idées les plus marquantes de la pensée québécoise. L'histoire des idées, comme l'histoire elle-même, n'étant qu'une suite de sursauts et de réactions, nous avons voulu que chaque partie de notre étude corresponde à un moment fort de la pensée ou des événements socio-politiques québécois. Chaque blessure, chaque danger rencontré par l'homo-quebecencis l'a bien sûr marqué lui-même mais surtout — et c'est l'aspect qui nous intéresse nous — mais surtout chaque blessure, chaque danger a laissé sa marque dans toutes les manifestations intellectuelles du pays. Ainsi de sursaut en sursaut, de blessure en blessure, de chatterton en sparadrap, s'est structurée une pensée québécoise dont le cheminement accidenté — mais toujours

---

3 J.-C. Harvey, *Pages de critique*, p. 178.

bien borné — nous révèle une armature idéologique et une infrastructure intellectuelle, peut-être peu intéressantes en profondeur, mais des plus captivantes au niveau du développement et des fluctuations de courants d'idées. Dans cet essai de synthèse, nous avons voulu parcourir ce cheminement simple de notre pensée, que pour des raisons obscures, personne ne voulait présenter à un public pourtant avide de se connaître. Enfin, la connaissance de l'histoire des idées au Québec permettra peut-être au lecteur intéressé de répondre à la question que le professeur Jean Ethier-Blais posait dès les premières pages de ses *Signets II:*

> L'ennui, c'est que nous ne savons pas qui nous sommes. Français d'Amérique? Canadiens du Québec? Québécois du Canada? Vivons-nous dans l'espérance d'un avenir qui nous sera propre ou dans celle du manichéisme éternel? Et la littérature, par à-coups et d'une façon en apparence tout égoïste, sert, d'une part, à préciser les contours de notre évaluation et, d'autre part, à hâter son processus. Elle est toujours là, témoin, guide, prophète. Comme l'eau du Narcisse, elle est le reflet de nos contradictions infinies.[4]

A travers l'histoire présentée ici, nous avons essayé de regarder de plus près ces «contradictions infinies» causées fort probablement par l'ignorance de la pensée et des penseurs précédents. Loin de nous la prétention de faire de ce travail un précis ou un traité. Notre projet demeure littéraire. Il ne veut ni ne peut être considéré comme l'«histoire politique» du Québec; non plus comme un abrégé de l'«histoire nationale». Il se tient à mi-chemin entre la libre réflexion et l'érudition scientifique. Toute cette étude n'a qu'un but, fournir au lecteur de la littérature québécoise un guide sous forme d'un essai de synthèse de la pensée québécoise: ce projet est présomptueux mais pour permettre la naissance d'une véritable «histoire des idées» au Québec, il est de première importance que l'audace pose les premiers jalons d'un monde à découvrir. Nous évoquons pour nous excuser les mêmes raisons que celles offertes par Paul Hazard dans son introduction à *La crise de la conscience européenne:*

> Sans ignorer ce qui reste à faire et à refaire derrière nous, et tout en sachant bien qu'on ne connaît un arbre que par l'étude minutieuse des racines et des branches, nous pensons qu'il est utile, quelquefois, de tracer des voies provisoires dans les confuses forêts.[5]

---

4 J. Ethier-Blais, *Signets II,* p. 5.

5 Paul Hazard, *La crise de la conscience européenne,* Paris, Arthème Fayard, 1961, X.

Pour avoir les mêmes raisons nous savons cependant que nous n'atteignons pas les mêmes résultats.

L'affirmation de soi:
Louis-Joseph Papineau et
la pensée de 1837-1838

Chapitre I

L'affirmation de soi: Louis-Joseph Papineau et la pensée de 1837-1838

Nous abandonnons aux historiens le soin de dégager les accidents sociaux et politiques qui conduisirent le peuple québécois au seuil du XIXe siècle. Cette période sans parole est la préhistoire des idées. Quant aux balbutiements des chansons populaires et à l'abécédaire du journalisme, ceci est pittoresque sans doute, intéressant certainement, mais on ne peut guère parler de «pensée» à propos de ces débuts difficiles. C'est au parlement et grâce aux députés que naîtra la pensée québécoise. Ce n'est pas surprenant puisque c'est là et chez eux que sont perçus avec le plus d'acuité les problèmes et les dangers sociaux et politiques de l'époque. Menacés de disparaître, comme nation et comme peuple, les Canadiens français voudront défendre puis justifier leur existence.

L'Angleterre libérée de ses guerres en Europe peut maintenant s'occuper de l'Amérique. Ayant la force et le temps de s'occuper des colonies du nord, elle craindra beaucoup les incartades de l'enfant révolté. Les Canadiens français perdent ainsi leur meilleure assurance de survie et sentent le danger de très près. Ceux qui craignent le plus sont ceux qui ont le plus à perdre: cette nouvelle élite créée par les professions libérales, certains nobliaux non assimilés et quelques marchands dont le pécule dépend de l'existence d'un peuple distinct. Le prestige, la vie politique, le revenu de cette nouvelle élite étant nés de son appartenance à un groupe ethnique donné, si ce groupe disparaît, l'élite le suivra de près dans la mort. Sentant la menace, cette élite libérale se défendra, prétextant défendre le peuple. Cette défense est la première «pensée» cohérente exprimée au Québec par des autochtones.

Les principaux thèmes de cette pensée sont tous politiques bien sûr. L'auteur qui les exprime le mieux dans toute leur ambiguïté est Louis-Joseph Papineau[1]. Ce représentant typique de la nouvelle

---

1 Fernand Ouellet, *Papineau,* «Cahiers de l'Institut d'histoire», p. 55.

élite définit la société dont il fait partie, trouve une solution à son malaise et s'efforce de guérir le tout. Cette société qu'il veut transformer, il la voit constituée d'une «population agricole sans éducation» [2] depuis longtemps, depuis toujours ballottée au gré d'intérêts qui lui sont étrangers. Il y a chez Papineau une lutte évidente contre toutes les formes existantes de colonialisme. D'abord contre les Français «ces Européens qui voulaient gouverner des Américains, et suivant cet axiome qu'une nation ne peut en conduire une autre» [3]. Puis, et la lutte devient plus concrète, il s'emporte contre l'Angleterre qui, mère de la démocratie, permet à ses fonctionnaires «d'ôter à la législature le pouvoir de décider sur ce qui lui convient» [4] et qui laisse «les intrigues des marchands étrangers» [5] régir la vie sociale et économique. Enfin Papineau s'insurge contre la tutelle indue d'un clergé qui ne cherche pas à protéger les intérêts du peuple mais plutôt à conserver les siens en «s'attachant à la cause du gouvernement et en négligeant celle du peuple» [6]. Toutes ces accusations comme toutes les réformes qu'il réclame ont, clame-t-il, l'appui du peuple tout entier. Les événements ultérieurs corroborent cette affirmation. Ce qui est exigé par les patriotes et leur chef ce n'est rien d'autre que le droit de vivre pour «une population qui avait des lois, une religion, une langue, des mœurs et des institutions qui devaient lui être conservées» [7]. Papineau et tous les siens étaient convaincus qu'eux-mêmes et qu'eux seuls pouvaient défendre le droit du peuple à sa survie dans l'originalité. Dans la lutte que cette élite entreprend contre tout ce qui lui semble être dangereux pour la survie «nationale» se formera tout un courant de pensée d'où «peu à peu se dégage, à travers les critiques contre le clergé et l'aristocratie, la conception d'un état libéral et d'une société laïque» [8]. On ne peut s'empêcher d'observer cependant que cet état allait servir beaucoup plus les intérêts des nouvelles classes dirigeantes que ceux du peuple au nom de qui se fit tout le mouvement.

Le mouvement d'idée qui voulait faire reconnaître le droit à l'individualité nationale n'a pas été qu'une joute littéraire ou oratoire. La relation entre l'idée prêchée et l'action s'établit très tôt. Comme l'opposition était très forte, aux luttes anticoloniales et autonomistes vint se joindre un nouvel élément: l'appel à la violence. Il est important de remarquer que la violence des années 1830 n'est en rien

---

2 *Ibid.*, p. 55.

3 Fernand Ouellet, *op. cit.*, p. 56.

4 *Ibid.*, p. 57.

5 *Ibid.*, p. 57.

6 *Ibid.*, p. 55.

7 *Ibid.*, p. 55.

8 Fernand Ouellet, «Nationalisme canadien-français et laïcisme au XIXeme siècle», p. 54.

entachée de racisme. Loin de là! l'appel à la collaboration des «opprimés» anglo-saxons est un sous-thème des plus intéressants:

> Vieux enfants de la Normandie,
> Et vous, jeunes fils d'ALBION,
> Réunissez votre énergie,
> Et formez une nation:
> Un jour notre mère commune
> S'applaudira de nos progrès,
> Et guide au char de la fortune,
> Sera le garant du succès.[9]

D'ailleurs l'idée de violence elle-même arrivera toujours en dernier recours. On ne veut utiliser la force que là où l'individu ne sera pas respecté, que là où la liberté — la force motrice par excellence dans le mouvement libéral — sera brimée. Ce qui est souhaité avant tout, c'est la paix. Toujours l'on espère que la raison fera comprendre au Pays et aux Intérêts des oppresseurs que la raison du plus fort n'est pas la meilleure et que la tranquillité rime avec liberté. Si la volonté de paix est grande, la détermination à la liberté, même acquise au prix de la force, l'est davantage. Et c'est F.-R. Angers encore une fois qui exprime le mieux dans ses vers simples et bien sonnés la double détermination de la pensée canadienne-française à la veille des troubles de 1837:

> Nous trancherons là le nœud gordien;
> Car pour entrer dans la terre promise,
> Quand la raison, frères, ne peut plus rien,
> Le glaive est juste et la hache est permise.
> Rapprochons-nous, puis espérons...
> Puis, si leur crime se consomme,
> Frères, alors nous marcherons,
> Nous marcherons comme un seul homme,
> Comme un seul homme.[10]

Amants de la liberté, unissons-nous: voilà l'état d'esprit qui préside à la veille des aventures sur le Richelieu. Le poème d'où sont tirés ces quelques vers s'intitule *Réconciliation.* C'est là tout un programme, une théorie des plus intéressantes et des plus symptomatiques.

Les circonstances, l'histoire et les hommes voulurent que la violence devînt nécessaire et qu'elle s'incarnât dans un mouvement insurrectionnel. Ce qui allait illustrer que la pensée pouvait devenir action. Cette liberté, vécue mieux que chantée, Chevalier de Lorimier,

---

9 François-Réal Angers, «L'Avenir», dans *Le Répertoire national,* Montréal, Valois, *I,* p. 6.

10 F.-R. Angers, «Réconciliation», *op. cit., II,* p. 6.

chef patriote fait prisonnier puis envoyé à l'échafaud le 15 février 1839, en a laissé le témoignage. Moins nous intéressent ici les événements pathétiques de sa vie que les idées et l'idéal qui l'ont guidé. Une lettre écrite de la prison de Montréal, la veille de son exécution, nous montre un héros décidé à justifier les actions de sa vie et à donner un sens à sa mort:

> Je meurs sans remords, je ne désirais que le bien de mon pays dans l'insurrection et l'indépendance, mes vues et mes actions étaient sincères et n'ont été entachées d'aucun des crimes qui déshonorent l'humanité, et qui ne sont que trop communs dans l'effervescence des passions déchaînées.[11]

Cet homme comme beaucoup d'autres de son temps s'est tout entier voué à l'idée de liberté et d'indépendance. Ces idées ne triomphèrent point et l'échec des troubles de 1837 allait marquer l'individu québécois et sa pensée d'une crainte de l'idée incarnée dans l'action. Et cette crainte, on n'est pas bien sûr qu'elle soit effacée. «Le crime de votre père est dans l'irréussite»[12], écrit encore de Lorimier à ses jeunes fils. Le crime des pères est retombé sur la tête de leurs descendants. Ce pourquoi des hommes sont morts, d'autres exilés, sera qualifié d'une «erreur de nos frères» par F.-X. Garneau, qui n'est pas encore l'historien national lorsqu'il écrit le 8 février 1838 ces vers, dans un poème de bienvenue à Lord Durham:

> Notre langue, nos lois, pour nous c'est l'Angleterre;
> Nous perdons langue et lois en perdant cette mère.[13]

Tout un courant d'idées qui s'était incarné dans l'action était ainsi renié; un geste que l'on avait voulu glorieux s'éteignait dans la honte, le mépris et l'oubli. Des héros devenaient presque des brigands... ou des inconscients et des étourdis qui signeront le manifeste des «Fils de la liberté» sans y rien comprendre. C'est du moins ce que voudra faire croire, trente ans plus tard, Georges Boucher de Boucherville, dans son roman *Une de perdue, deux de retrouvées.*

---

11 Chevalier de Lorimier, lettre reproduite dans *Liberté, 7,* no 1-2, janvier-avril 1965, p. 76.

12 *Ibid.,* p. 77.

13 F.-X. Garneau, «A Lord Durham», *Le Canadien,* 8 juin 1838.

Chapitre II

François-Xavier Garneau: la révolte redevient verbe

Chapitre II

François-Xavier Garneau: la révolte redevient verbe

Les mouvements de 37-38 se terminent dans la honte et les velléités autonomistes se tournent en supplications infantiles. Mais le «Père» auquel s'adresse F.-X. Garneau dans ce poème du *Canadien* que nous avons cité n'a rien d'un sentimental: Durham est un homme de science, un politique serein et intelligent dont les trop fines et trop justes observations ne sont en rien touchées par l'«aplaventrisme» et les professions tardives de fidélité qui l'accueillent. Son rapport sorti, ses analyses et ses recommandations ne sauront plaire à aucun de ces autochtones francophones qui naguère encore l'accueillaient bras ouverts et genoux pliants. Dans les sacristies comme dans les salons libéraux, ses judicieux conseils ont la délicatesse d'une bonne paire de gifles. Ce même Garneau — devenu maintenant l'historien que l'on reconnaît — donne une œuvre que tous les lecteurs, après quelques hésitations vite réprimées, regardent comme une réponse pertinente et irréfutable à la condamnation du représentant de Sa Majesté Britannique.

Quelles que furent les intentions de l'Historien national, son livre comme ses idées arrivaient à point et donnaient aux intellectuels tout ce dont ils avaient besoin pour se faire croire à eux-mêmes et pour convaincre les autres de la légitimité de leur opiniâtreté culturelle, linguistique, religieuse et politique. Les trois volumes d'histoire de F.-X. Garneau sont un long plaidoyer hagiographique pour le droit à la vie du peuple canadien. Ce plaidoyer se fonde sur l'irréductibilité des races. La «vieille étourderie gauloise», ayant survécu aux «immuables combinaisons des Hellènes» ainsi qu'«à la sagesse et à la discipline conquérante des Romains», ne saurait se fondre en cette «race flegmatique», venue du nord avec des accents rauques, à laquelle Durham voulait l'assimiler. L'Anglais a ses noblesses comme le Français, mais jamais l'eau ni le feu, si fiers fussent-ils l'un et l'autre, ne sauraient former une seule et même nature: «Ils se conservent comme type même quand tout semble annoncer leur perte»[1]. A cette irréductibilité fondamentale s'ajoute la preuve historique. Les Canadiens de 1850 sont les fils de ces preux dont le courage fit la Nouvelle-France et dont l'audace et la force les conduisirent, du Nord au Sud, de l'Est à l'Ouest, sur mer et sur terre. Cette histoire est trop haute en faits historiques remarquables, trop significative pour ne pas avoir de suite: l'élan initial est trop grand, il ne peut être arrêté... même par la conquête et par la répression. Et les hommes qui ont fait cette histoire, de qui descendent ceux que l'on veut assimiler, n'ont pu donner naissance qu'à des héros de leur taille. Les ascendants généalogiques sont eux-mêmes non seulement un droit, mais une preuve de survie:

> L'on se tromperait fort gravement, si l'on voyait dans le planteur qui abattit les forêts qui couvraient autrefois les rives du Saint-Laurent, qu'un simple bûcheron travaillant pour satisfaire un besoin momentané. Son œuvre, si humble en apparence, devait avoir des résultats beaucoup plus vastes et beaucoup plus durables que les victoires les plus brillantes qui portaient alors si haut la renommée de Louis XIV.[2]

La glorification verbale de l'être présent par l'amplification de l'être passé devient si grande que l'auteur finit dans une confiance sereine en l'avenir de la race française d'Amérique:

> Mais quoi qu'on fasse, la destruction d'un peuple n'est pas chose aussi facile qu'on pourrait se l'imaginer; et la perspective qui se présente aux Canadiens, est, peut-être, plus menaçante que réellement dangereuse.[3]

La survie assurée, F.-X. Garneau ne succombe pas pour autant à l'euphorie. Le peuple canadien ne peut avoir d'avenir qu'à l'avenant de sa force et selon ses caractéristiques propres. S'éloignant des grandes révolutions qui sont le lot des grands peuples, restant fidèle à ses origines économiques paysannes, à ses origines culturelles et morales, il ne saurait être qu'en étant ce qu'il fut: français, rural et catholique:

> Que les Canadiens soient fidèles à eux-mêmes; qu'ils soient sages et persévérants, qu'ils ne se laissent point emporter par le brillant des nouveautés sociales ou politiques.[4]

F.-X. Garneau, après avoir montré que la race canadienne est une de ces races irréductibles non seulement par ses origines mais par les «ges-

---

1 François-Xavier Garneau, *Histoire du Canada*, p. 25.

2 François-Xavier Garneau, *op. cit.*, p. 21.

3 *Ibid.*, p. 24.

4 François-Xavier Garneau, *op. cit.*, *3*, p. 391.

tes» de ses ancêtres, propose sa thèse sur la survie possible pour le peuple français d'Amérique du Nord. Ce peuple survivra grâce à une vie simple et modeste. Qu'il laisse aux autres peuples le soin et la force de faire l'histoire! Ce qu'ils feront d'ailleurs, pendant que l'élite canadienne contemplera stérilement ses gloires passées tout en discourant d'un avenir utopique: «Hélas! hélas! que voulez-vous que fasse un pauvre petit peuple autrefois héroïque, mais déchu de sa gloire passée et isolé au milieu d'un grand continent»[5]. «Qu'il mourût!» aurait sans doute répondu Lord Durham se rappelant Corneille.

La vogue de *L'Histoire* de F.-X. Garneau sera fulgurante et générale au Québec. Cela s'explique parce qu'elle apportait, tant aux libéraux qu'au clergé conservateur, les arguments qui leur permettaient de poursuivre leur campagne à la direction du peuple. On peut expliquer assez simplement comment l'œuvre de l'historien libéral pouvait servir des intérêts aussi opposés. Les troubles de 37-38 avaient rangé d'un même côté le clergé et l'autorité coloniale et métropolitaine. Les deux s'étaient opposés alors aux libéraux: les dirigeants anglo-saxons pour des raisons faciles à comprendre; le clergé, lui, tenait trop à son hégémonie pour laisser les libéraux prendre le pouvoir. Lorsque Durham entre en jeu et recommande l'assimilation de la population francophone, le clergé refuse son appui aux conquérants et ne peut que chanter la gloire de celui qui défend l'existence d'un peuple dont dépend son pouvoir comme sa vie. Après quelques hésitations et quelques censures, le clergé ne se contentera pas uniquement de louanger Garneau mais ira jusqu'à en faire une gloire nationale:

> Nous n'oublierons jamais l'impression profonde que produisit, sur nos jeunes imaginations d'étudiants, l'apparition de *L'Histoire du Canada* de M. Garneau. Ce livre était pour nous une révélation. Cette clarté lumineuse qui se levait tout à coup sur un sol vierge et nous en découvrait les richesses et la puissante végétation, les monuments et les souvenirs, nous ravissait d'étonnement autant que d'admiration...[6]

La consécration venait de Henri-Raymond Casgrain, l'un des principaux promoteurs de la pensée conservatrice d'inspiration cléricale. Il était moins étonnant de voir le parti libéral heureux des écrits de F.-X. Garneau: c'était un des siens depuis longtemps et sa formation puisait aux mêmes sources. Pour être plus naturel, l'engouement des libéraux pour *l'Histoire* n'était pas moins intéressé: car eux aussi désiraient — oh combien ardemment) — la direction du peuple québécois. Leur pouvoir, leurs fonctions sociale, économique et politique dépendaient

5 Edmond de Nevers, *L'Avenir du peuple canadien-français*, p. 96.

6 Henri-Raymond Casgrain, «Le mouvement littéraire au Canada», p. 356.

aussi du peuple et de sa survie culturelle. Sans un peuple sur qui s'appuyer, point d'élite d'aucune sorte, ni religieuse, ni laïque. Le Québec devenant anglophone — comme le recommandait Durham — c'était la mort et du clergé et de l'élite libérale. Face au danger commun, ces deux clans ne pouvaient qu'être d'accord avec le plaidoyer de Garneau pour la survie du peuple québécois. L'accord était bien mince et le peuple un peu trop petit pour supporter deux maîtres: chacun des deux clans le pressait. Aussi une lutte, qui ressemble fort à un règlement de comptes pour l'obtention d'un monopole, s'engagera. Garneau ayant prouvé à tous la nécessité et la possibilité de la survie du peuple, il s'agissait maintenant de déterminer ceux à qui allait profiter cette survie! Le parti libéral ou le parti clérical conservateur. La lutte autour de l'Institut canadien de Montréal allait être le champ de bataille où les loups allaient s'entre dévorer pendant que les agneaux broutaient une herbe trop maigre.

Chapitre III

L'Institut canadien: un règlement de comptes

Chapitre III

L'Institut canadien: un règlement de comptes

Tous les grands noms politiques du XIXe siècle, ainsi que la plupart des membres influents des professions libérales, ont participé de près ou de loin à la structuration de l'Institut canadien de Montréal et de ses multiples et plus orthodoxes ramifications en province. La vogue du mouvement démontre surtout la nécessité qu'il y avait au Québec d'avoir un lieu, une source où puiser une information intellectuelle et sociale un tant soit peu élevée. Le mouvement intellectuel qui se cristallise autour de l'Institut est encore tout près de celui qui a amené la rébellion de 1837. Mais les hommes qui s'y trouvent ont perdu la fougue des «Fils de la liberté». La défaite leur a montré leur faiblesse, Durham leur a dit leur ignorance et les conclusions de Garneau à son *Histoire* ont réduit leurs aspirations politiques à des dimensions plus sereines. Cette triple douche froide a eu un effet bénéfique. Ils n'avaient qu'à regarder autour d'eux, à se regarder eux-mêmes, pour constater que Lord Durham avait raison: «un peuple ignare, apathique et rétrograde»[1] les entoure. Non pas parce que le peuple est plus taré qu'un autre, mais parce que les guerres et l'absence d'institutions appropriées n'ont pas permis aux jeunes d'acquérir une formation intellectuelle. Etienne Parent, le conférencier le plus célèbre de l'Institut, explique ce phénomène! «La jeunesse, constatera-t-il, est laissée à elle-même, à ses propres forces, à ses propres efforts»[2]. C'est pour répondre au besoin d'une jeunesse assoiffée de connaissances libres que se crée l'Institut:

> L'Institut canadien fut non pas fondé par un parti politique, non pas par une dénomination religieuse particulière, il fut fondé par et pour les amis de l'étude mais surtout pour la jeunesse.[3]

---

1 Lord Durham, *Le rapport Durham,* p. 12.

2 Etienne Parent, «De la position et des besoins de la jeunesse canadienne-française», p. 125.

3 M. Geoffrion. Discours prononcé devant les membres de l'Institut, *Annuaire 1868 de l'Institut canadien,* p. 24.

Ce que feront les libéraux groupés autour de Dessaulles, c'est en somme de fonder la première école d'enseignement supérieur, quelque chose comme la première université française en Amérique. L'institut constituera une bibliothèque dont l'importance ira grandissante, équipera des salles de lecture, organisera des réunions de discussions où l'enseignement mutuel domine, invitera des conférenciers de l'intérieur comme de l'extérieur. Au climat propice à l'étude s'ajoute une documentation matérielle et humaine apte à former ceux qui le désirent. L'Institut sera pour la jeunesse «une école de haut enseignement mutuel, où l'on trouve de beaux exemples à suivre et le sujet d'une noble émulation»[4]. Cet effort portera ses fruits et toute une classe de gens sortiront bientôt de l'Institut avec une formation suffisamment forte pour devenir les meilleurs penseurs et les meilleurs politiques de leur temps. «Les vrais témoins de la vie de l'esprit au milieu du XIXe siècle sont les libéraux»[5], écrira G.-A. Vachon, et les libéraux se formaient et se rencontraient tous à l'Institut: écoliers et maîtres les uns des autres.

Ce qui caractérise l'Institut, c'est, en plus du réalisme de ses observations, sa volonté d'apporter un remède à une situation jugée déplorable et de trouver des solutions pertinentes au milieu dans lequel les Canadiens vivent. Cette tendance «réaliste» nous la retrouvons fortement exprimée chez le plus modéré de ses membres: cet Etienne Parent dont nous avons déjà parlé. Il n'est pas de ceux qui, regardant notre passé «héroïque», s'empresseront de dire: fils de héros ne saurait ni déchoir, ni mourir. Au contraire, il reconnaît qu'il n'y a qu'une seule loi pour la survie: celle «du plus fort», celle «du plus habile»[6]. Il y a au Canada français trop d'énergies perdues par «l'amour des parchemins»[7] qui donnent l'honneur d'être médecin, avocat, curé dans un milieu sursaturé de professions libérales et religieuses, mais qui n'apportent rien au pays. Trop d'intellectuels médiocres et sans avenir; trop peu d'industriels intelligents et utiles au pays, à la nation: voilà le problème. Car il n'y a qu'un moyen pour les Canadiens francophones de survivre: relever leurs manches et s'attaquer à la tâche:

> Le préjugé qui ravalait le travail des mains et l'industrie en général (...) est plus qu'absurde en Amérique, il est contre nature et dans le Bas-Canada, il est suicide. Il est contre

---

4 Etienne Parent, «Du travail chez l'homme», p. 77.

5 Georges-André Vachon, «Une littérature de combat» p. 250.

6 Etienne Parent, «De l'industrie considérée comme moyen de conserver la nationalité canadienne-française», p. 6.

7 Etienne Parent, «De l'industrie considérée comme moyen de conserver la nationalité canadienne-française», p. 7.

> nature, parce qu'il nous fait renier nos pères, qui étaient tous des industriels; il est suicide parce qu'il tend à nous affaiblir comme peuple, et à préparer notre race à l'asservissement sous une autre race.[8]

Si la société canadienne ne prend pas rapidement les mesures qui s'imposent, on assistera à plus ou moins brève échéance à la dispersion ou à la dilution de la nation tout entière. D'ailleurs les patriotes de la rébellion avaient vu, eux aussi, l'importance de l'économique lorsqu'ils écrivaient dans leurs résolutions: «que nous regarderons comme bien méritant de la patrie quiconque établira des manufactures de soie, de draps, de toiles, soit de sucre, soit de spiritueux»[9]. «Honorons donc l'industrie» si nous ne voulons pas donner raison à cette race qui «nous a jeté cette prédiction sarcastique: que nous étions destinés à lui servir de charrieurs d'eau et de scieurs de bois»[10]. Et si l'on veut lancer l'agriculture, passe! mais que ce soit d'une façon ordonnée et scientifique et non «selon les procédés d'une vieille routine»[11]. Le réalisme de la pensée d'Etienne Parent se fondait sur la reconnaissance des lois du milieu nord-américain. Il avait compris le jeu: «il préféra l'or de la Californie à la nostalgie de l'âge d'or»[12], selon l'heureuse formule de Maurice Lebel. Mais plutôt que de suivre ses conseils et de progresser, la société allait s'engager dans des luttes fratricides et stériles.

Pendant qu'Etienne Parent dispensait le fruit de son intelligence devant les auditoires attentifs des salles de l'Institut, le parti clérical conservateur s'organisait. Dès les lendemains des troubles, Ignace Bourget, le chef de la réaction antilibérale, évêque de Montréal, commençait à s'enrichir de soldats exportés de toutes les communautés religieuses de France. Le gouvernement colonial, loin de décourager cette importation, la favorisa très tôt, voyant que cela équilibrait les forces chez des adversaires qu'il aimait voir occupés à se détruire les uns les autres plutôt qu'à examiner et critiquer son gouvernement. Ignace Bourget n'attaque franchement l'Institut que lorsque ses troupes sont bien installées. Forts de leur prestige et de leur argent, emportés par leur verve, les dirigeants de l'Institut s'apercevront trop tard que l'ennemi est d'une force supérieure à leurs estimés. Quand J.-G. Barthe part pour la France en 1855, les cartes sont déjà jouées et jamais le Canada ne sera reconquis par la France libérale: la France

---

8 *Ibid.*, p. 9.

9 *Déclaration de Saint-Ours,* mai 1837, in G. Frégault et M. Trudel, *Histoire du Canada par les textes,* Tome I, p. 198.

10 Etienne Parent, «De l'industrie considérée comme moyen de conserver la nationalité canadienne-française», p. 17.

11 *Ibid.*, p. 13.

12 Maurice Lebel, «L'essai dans la littérature canadienne-française», p. 450.

cléricale occupe déjà toute la place. Et la lutte cruelle et acharnée qui va s'engager de 1855 à 1875 entraînera toutes les valeurs libérales dans sa débâcle. Les forces libérales et cléricales étant passablement égales, très tôt les extrémismes se durciront. Mais, plus le combat s'avance, plus les forces cléricales s'enrichissent de démissions et d'effectifs nouveaux; et plus les forces libérales s'appauvrissent. La fin commence avec l'affaire Guibord: cette histoire loufoque fut la dernière victoire des libéraux. Une victoire à la Pyrrhus dont l'Institut sortira défait: à cause de la violence de la lutte, le naufrage allait coûter très cher à la société canadienne. Le parti vainqueur allait proscrire tout ce qui de près ou de loin touchait aux libéraux et à l'Institut: toute idée qui avait été émise par eux devenait dangereuse. Il était trop tard pour nuancer. Comme la seule pensée positive venait de l'Institut, sa mort, causée tant par l'extrémisme et l'orgueil de certains de ses membres que par la bêtise et la mesquinerie du parti clérical conservateur, allait entraîner dans sa chute toutes les idées de progrès et d'avancement qui auraient pu sauver la société canadienne sur les plans culturel, économique et social.

Tout ce mouvement libéral se termine avec Arthur Buies dont les écrits et la vie sont le symbole parfait de l'échec, dans l'intégrisme, de la pensée «révolutionnaire» du XIXe siècle. Cet homme dont l'enfance et l'adolescence ne furent qu'une révolte et dont l'âge adulte fut consacré à la défense de la libre pensée et de la réforme de la société tant avec ses *Lettres sur le Canada: étude sociale,* qu'avec sa *Lanterne,* ce révolutionnaire antipapiste, finit secrétaire du curé Labelle. Aux côtés de ce clerc, le pamphlétaire se range tranquillement avec femme et enfants. Les dernières paroles d'Arthur Buies sont non seulement gênantes dans sa bouche mais réellement révélatrices de la force intégriste de la société monolithique de la fin du XIXe siècle:

> Mon Dieu! si l'homme n'était pas fait à votre image, que serait-il? Une bête furieuse, un fauve affamé, préoccupé uniquement de la satisfaction de son appétit et ne cherchant dans tout ce qui existe que des proies à atteindre et à dévorer.[13]

La pensée cléricale conservatrice, par l'intrigue, l'anathème, l'exil et la force remportait une victoire irréversible sur l'Institut. La pensée libérale, elle, sombrait à cause de l'impétuosité, de l'imprudence et du manque de diplomatie de ses défenseurs. Cette chute devait être fatale à l'avancement de toute la société québécoise.

13 Arthur Buies, «Dernier écrit», dans Marcel-A. Gagnon, *La Lanterne d'Arthur Buies,* p. 252.

Chapitre IV

La pensée réactionnaire salvatrice: Henri-Raymond Casgrain et l'Université Laval

Chapitre IV

La pensée réactionnaire salvatrice: Henri-Raymond Casgrain et l'Université Laval

Le règlement de comptes qui devait éliminer définitivement la pensée libérale de la pensée québécoise n'était pas encore terminé que déjà s'amorçait et s'édifiait l'organisation de la réaction bientôt triomphante. Le mouvement réactionnaire allait d'abord trouver dans l'autre camp le cautionnement de son idéologie naissante. C'est Etienne Parent lui-même qui dès 1848 donnera au clerc religieux un rôle prépondérant dans la société canadienne-française:

> L'homme politique sera d'abord de sa nature homme de parti, le prêtre sera plutôt national. Transportés sur un terrain plus avancé, l'un sera national avant tout, l'autre sera humanitaire, et rattachera ainsi sa nation à l'humanité entière, secondant la tendance du genre humain. [1]

Mais l'école d'Ignace Bourget et de François-Louis Laflèche s'empressera d'oublier que l'humanitaire revenait au laïque et ramènera la pensée de Parent en une seule thèse où le national et l'humanitaire se retrouvent dans le même gousset clérical. Le clergé était d'ailleurs encouragé ou tout au moins avait l'approbation des libéraux de retour au bercail. Lorsqu'Antoine Gérin-Lajoie, co-fondateur de l'Institut de Montréal en 1854, écrit dix ans plus tard son traité d'éducation dans *Jean Rivard, économiste* [2], ne confie-t-il pas toute décision à «son ami Doucet», curé de Rivardville? Ces «collaborateurs» de prestige, récupérés ou soumis, ont contribué pour beaucoup au triomphe de la pensée réactionnaire.

Empressé d'endiguer l'influence libérale, le parti clérical conservateur utilisera les moyens de l'ennemi: ce qui a fait la force de l'Institut c'est qu'il mettait à la disposition de ses membres les outils nécessaires à l'épanouissement politique et intellectuel. L'Université

---

1 Etienne Parent, «Du prêtre et du spiritualisme dans leurs rapports avec la société», p. 110.

2 A. Gérin-Lajoie, *Jean Rivard, économiste*, p. 67.

Laval est créée en 1852 dans le même but. Avec en plus une volonté de mouler les intelligences aux formes de l'orthodoxie:

> Au sein de l'Université, nos jeunes compatriotes, guidés par des maîtres chrétiens, pourront boire les eaux de la science, sans craindre d'y trouver mêlés les poisons de l'erreur. Là, le jeune lévite pénétrera dans les profondeurs de la théologie, éclairé dans sa marche par le flambeau de la foi; là, le jurisconsulte ne s'occupera pas à créer de vaines théories, mais il étudiera les grands principes du droit qui découlent de la justice éternelle; le médecin y apprendra à reconnaître dans l'homme, non la matière organisée par le hasard, mais le roi de la terre, le chef-d'œuvre du créateur, l'image créée à sa ressemblance et l'objet de ses plus chères prédilections; le philosophe s'accoutumera à adorer la main du Dieu Tout-Puissant, dans les merveilleux secrets de la nature. Tous y pourront puiser, avec les nobles inspirations de la science, cet amour de la patrie qui rend le savant utile à ses compatriotes, ces vertus chrétiennes qui ornent les plus belles intelligences, cette foi pure et ferme qui empêche l'esprit humain de s'égarer dans les voies du doute et de l'irréligion.[3]

La jeunesse n'y sera certes pas ouverte aux préoccupations et aux réformes libérales, comme le lui souhaitait Parent dans sa conférence sur la jeunesse, mais elle sera prête à œuvrer dans un sens unique: celui de l'idolâtrie, de l'idéologie en place. A cette école de haut dressage se joindra un mouvement littéraire qui régira la littérature canadienne-française pendant plus de trente ans: «Le mouvement littéraire de Québec». Le mouvement, s'il donne une orientation un peu exclusive à la littérature, ne perd pas pour autant le mérite indéniable de lui avoir donné naissance. Ainsi pourvu d'une Ecole et d'une association forte pour articuler et véhiculer ses idées, la pensée réactionnaire, définitivement victorieuse, allait pouvoir éclaircir les grands thèmes de son programme et créer — au détriment de la liberté intellectuelle et morale — l'unité de pensée et d'action (ou d'inaction) nécessaire à la survie de la pensée et de l'être «traditionnel» québécois.

Les idées maîtresses qui deviendront la pensée officielle et unique de la société québécoise du dernier tiers du XIXe siècle sont assez simples. Le déterminisme sociologique et culturel sert de point de départ. Ce déterminisme apparaissait déjà chez F.-X. Garneau. Il est exprimé d'une façon plus simpliste mais plus grandiloquente par H.-R. Casgrain dans son fameux manifeste littéraire. «Issu de la

---

3 H. Têtu et C.-O. Gagnon, *Mandements, lettres pastorales et circulaires des Evêques de Québec*, IV, p. 127.

nation la plus chevaleresque», héritier d'une langue et d'une culture indéniablement supérieure, vivant dans un continent aux horizons infinis et à la géographie grandiose, le peuple est déterminé à être à l'avenant de ce lourd héritage et ne saurait être félon à cet atavisme sans briser les lois immuables de la nature. Ce déterminisme a comme conséquence la satisfaction facile de posséder la plus grande culture au monde et la meilleure et seule morale: français et catholique, deux caractéristiques joignant toutes les qualités requises à une supériorité inattaquable. La conséquence directe de ce lourd héritage: le messianisme et le gigantisme. La Providence demande au peuple élu de répandre sa culture et sa foi d'un océan et d'un pôle à l'autre. Mais il y a un Mais. Pour que tout ceci puisse se réaliser, il faut l'UNITÉ, il faut que tous les efforts convergent dans le même sens et suivent le droit chemin que lui trace le *Vates:* toute activité littéraire, comme toute activité humaine,

> sera essentiellement croyante et religieuse. Telle sera sa forme caractéristique, son expression; sinon elle ne vivra pas, et se tuera elle-même. C'est sa seule condition d'être; elle n'a pas d'autre raison d'existence; pas plus que notre peuple n'a de principe de vie sans religion, sans foi; du jour où il cesserait de croire, il cesserait d'exister. Incarnation de sa pensée, verbe de son intelligence, la littérature suivra ses destinées.[4]

C'est grâce à cette activité unifiée autour du même axe que l'on peut rêver d'un avenir merveilleux où toutes les intelligences arrosées de la même eau, nourries du même sol seront projetées «à la tête du mouvement intellectuel dans cet hémisphère»[5]. Emporté par sa rhétorique, enflammé par son idéal, H.-R. Casgrain oublie quelque peu la réalité un peu triste, pitoyable même, qui est le lot de la société québécoise contemporaine, bien incarnée, dans un continent américain qui n'attend la révélation de personne pour aller de l'avant.

Cet oubli de la réalité sera la principale caractéristique de toute la réaction unanimiste. Si la pensée libérale reposait sur l'analyse de la réalité et l'acceptation du monde américain, la pensée réactionnaire sera, elle, toute aliénation à la réalité et refus absolu du monde américain sous toutes ses formes. Son premier projet sera:

> D'opposer au positivisme anglo-américain, à ses instincts matérialistes, à son égoïsme grossier, les tendances élevées, qui sont l'apanage des races latines, une supériorité incontestée dans l'ordre moral et dans le domaine de la pensée.[6]

---

4 H.-R. Casgrain, «Le mouvement littéraire au Canada», p. 368.

5 H.-R. Casgrain, *op. cit.*, p. 371.

6 *Ibid.*, p. 369.

Ce ne sont pas ici les seuls antagonismes des deux systèmes de pensée. Alors que les libéraux étaient ouverts aux courants économiques et idéologiques contemporains, la pensée orthodoxe est essentiellement tournée vers le passé et formée par la foi et les dogmes. A l'*Institut*, l'on projetait de fondre la matière en un progrès social conduisant à la libération intellectuelle; autour de Casgrain, on regarde avec mépris et on rejette le bas matérialisme, indigne de l'homme choisi par la Providence pour des fonctions plus nobles. Toutes ces idées dogmatiques semblent certainement plus propices à stériliser les intelligences qu'à les propulser aux faîtes de la gloire. Cependant si l'on considère la survie collective comme étant une valeur positive, sachant que celle-ci ne pouvait se produire qu'en unifiant toutes les forces autour des mêmes objectifs, il faut bien admettre que l'unanimisme — clérical ou autre — était nécessaire. Parce que la pensée libérale n'a pas su s'imposer, parce qu'elle n'en a pas pris les moyens, il faut bien accepter que l'orthodoxie triomphante fut rentable puisque la survie de la nation en dépendait.

Chapitre V

La droite galopante et l'euphorie de la victoire

Chapitre V

La droite galopante et l'euphorie de la victoire

Après le règlement de comptes où la pensée conservatrice triompha en excluant toute pensée libérale ou toute pensée libre de la réflexion québécoise, il régnera sur le Canada français une unanimité béate dont les idées de H.-R. Casgrain n'étaient que le verbe annonciateur. Un maître allait venir qui appuierait de toute son intelligence le pape du conservatisme: Ignace Bourget. Louis-François Laflèche livrera toute sa pensée dans un livre dont l'influence fut capitale et où puisèrent largement tous les penseurs orthodoxes — il ne pouvait plus y en avoir d'autres — qui le suivront. *Quelques considérations sur les rapports de la société civile avec la religion et la famille* est un ensemble de preuves «historiques» — tirées de l'histoire sainte — sur notre mission providentielle, sur les droits et les devoirs du clergé de s'occuper de l'ordre social temporel et sur le bonheur de vivre sous l'aile protectrice et paternelle de la couronne d'Angleterre. Ces pages allaient devenir la lecture de chevet tant du jeune lévite clérical préparant son homélie que du vieux politicien voulant se ménager l'appui d'un parti dont l'influence, pour être officieuse, n'en était pas moins déterminante dans les jeux hasardeux d'une élection provinciale ou fédérale.

Les théories de Laflèche sont claires et nettes et relèvent d'une psychologie et d'une logique assez primitives. Etant une nation privilégiée, un peuple élu, la société canadienne-française doit d'abord CRAINDRE les châtiments qui l'attendent si elle n'accomplit pas le rôle grandiose qui lui est dévolu:

> A chacun d'y arriver par les voies que la Providence lui ouvre, et ce sous peine des plus terribles châtiments en cas de prévarication, sous peine d'extermination ou de mort pour l'individu, la famille ou la nation qui refusera obstinément de marcher vers le but qu'il doit atteindre.[1]

---

1 F.-L. Laflèche, *Quelques considérations sur les rapports de la société civile avec la religion et la famille*, p. 44.

Ce Dieu vengeur et implacable ne souffre pas de trahison. Pour éviter de subir son foudre inquiétant il faut bien sûr avant tout éviter le mal dont les effets corrosifs conduisent aux grandes révolutions civiles en passant par les erreurs individuelles dont les effets sociaux sont considérables:

> La décadence a toujours coïncidé avec l'invasion de la cupidité, de l'amour effréné des richesses, de la soif dévorante de la jouissance matérielle ou de la domination. Or ces plaies sociales ont toujours été le résultat de doctrines erronées, parmi lesquelles viennent se poser magistralement ces théories immorales dont les plus connues de notre temps vont à bannir Dieu de la société, en proclamant la séparation absolue de l'ordre civil et politique d'avec l'ordre religieux, et en affirmant l'indépendance complète du premier relativement au second. [2]

Si nous savons nous montrer dignes de la mission qui nous est confiée et accomplir le destin de Dieu, nous éviterons «le bras vengeur qui a frappé» les peuples infidèles pour:

> Bénir la divine Providence qui nous si bien servis, et nous attacher inviolablement au sol où reposent les cendres de nos religieux ancêtres, et où de grandes destinées nous sont sans aucun doute réservées. [3]

On peut imaginer après cela combien de remords accompagnaient le pauvre exilé qui, crevant de faim sur une terre rocailleuse, partait, avec toute sa famille et sous l'œil cruel de Dieu, vers les «industries» américaines, dévoyées mais porteuses d'un pain nécessaire aux bouches affamées. On peut comprendre aussi le scandale qu'a pu susciter le roman de Honoré Beaugrand, *Jeanne la Fileuse,* qui osait faire l'éloge de la «prévarication» en montrant que des Canadiens français pouvaient être heureux dans la trahison. Mais un tel message ne pouvait être entendu et le peuple n'allait tendre l'oreille qu'à l'appel dominical où on le persuadait que «mieux valait posséder la plénitude de la vérité dans l'enseignement catholique» [4] que de partir à la quête de la toison d'or américaine quand nous pouvions goûter en terre canadienne «cette paix profonde que (la Providence) a procuré (à la nation québécoise) à l'ombre du drapeau britannique, en la soustrayant à la violente tempête de la révolution française» [5]. Un peuple élu qui doit

---

2 *Ibid.*, p. 45.

3 F.-L. Laflèche, *op. cit.*, p. 44.

4 *Ibid.*, p. 47.

5 A.-D. De Celles, «Notre Avenir», *Le Canada français, I*, p. 272.

éviter le mal s'il veut recevoir la récompense, dans un futur éloigné, d'être le peuple dominateur de l'Amérique et, qui sait? — si l'on prie beaucoup —, maître du monde un jour. Voilà la définition de l'être québécois que, quelle que soit la réalité, la pensée québécoise traînera jusque dans *L'Appel de la Race* et même un peu plus loin.

Voilà où menait la lutte pour l'hégémonie intellectuelle: un extrémisme délirant où le vainqueur perd de plus en plus contact avec la réalité, où l'on délaisse les nécessités politiques et économiques pour s'attarder aux valeurs peu rentables du spirituel. Pendant ce temps-là autour de ces angéliques défenseurs de la nation tout un monde change. Mais leurs oreilles obnubilées par la crainte du libéralisme ne perçoivent même pas l'écho d'une révolution industrielle au grand galop. Ceux à qui la victoire avait donné le pouvoir sur le peuple se complaisaient paisiblement dans la direction tranquille de la population. Leur triomphe pourtant leur imposait de diriger, d'organiser à tous points de vue — matériel et intellectuel — la société dont ils détenaient les rênes. La victoire ne fut pour le clergé que le point de départ d'une grandiose supercherie où la grandiloquence dissimulait à peine l'échec de sa politique et l'impuissance de ses penseurs! «Malgré nos misères, et des ennuis inséparables de l'humanité, nous sommes encore peut-être le peuple le plus heureux du monde»[6], osera écrire A.-D. De Celles dans *Le Canada français* en 1888, alors que près de la moitié du peuple «le plus heureux du monde» court chercher «le malheur» dans la république américaine.

Commencera alors une période éminemment triste pour la pensée et la société québécoises. Le repliement sur soi annoncé par H.-R. Casgrain et défendu par L.-F. Laflèche, allait conduire à l'énoncé des plus grandes aberrations ainsi qu'à une intolérance à laquelle il n'a manqué qu'une chambre ardente:

> Ne réussiront à être reconnus, acceptés et approuvés que ceux des politiciens et des intellectuels canadiens-français dont la pensée affiche une certaine orthodoxie.[7]

J.-C. Falardeau est ici fort discret. Sans tomber dans le jeu de mots facile, nous devons dire qu'il s'agissait moins d'une «certaine orthodoxie» que d'une orthodoxie certaine. Ecoutons la voix religieuse de sir Thomas Chapais: «Un Canadien français qui n'est pas catholique est une anomalie, un Canadien français qui ne l'est plus après l'avoir été est un phénomène monstrueux»[8]. Mais l'entente n'est guère le lot

6 A.-D. De Celles, *op. cit.*, p. 272.

7 J.-C. Falardeau, dans G. Sylvestre, éd., *Structures sociales du Canada français*, p. 12.

8 Thomas Chapais, *Mélanges*, p. 84.

des polémistes. Et lorsque tous les adversaires libéraux auront été occis, c'est à l'intérieur même de l'orthodoxie que s'installeront les luttes fratricides. Nous verrons celui que *La Patrie* du 31 juillet 1880 appelle «le modèle des journalistes réactionnaires», Jules-Paul Tardivel, devenir le véritable chien de garde d'une orthodoxie dont l'étroitesse d'esprit n'aura sans doute jamais d'égal. Dans *La Vérité,* ce cerbère pontifical, dont l'indépendance et l'honnêteté ne peuvent être mises en doute, cherchera moins à dire toute la vérité qu'à combattre toutes les erreurs. Cette simple formule qui apparaît dès les premières pages de ses *Mélanges*[9] en dit long sur l'état d'esprit de l'époque. Cet homme, dont la largeur d'esprit annonçait bien celle de Thomas Chapais, exprimait naïvement ce principe de base de son action intellectuelle et de ses jugements «impartiaux»: «Ce que nous voudrions, c'est que tout le monde fût catholique et que personne ne fût partisan»[10]. Le sectarisme de Tardivel, nourri de la pensée de Laflèche et déjà énoncé par les «délicieuses» causeries d'Adolphe-Basile Routhier, allait nous faire passer le cap du XIXe siècle pour nous mener à Louis-A. Paquet dont la répugnance pour les choses matérielles et le dédain économique soulevaient d'enthousiasme les jubilaires des noces d'or de la Société Saint-Jean-Baptiste:

> N'allons pas descendre du piédestal où Dieu nous a placés, pour marcher au pas vulgaire des générations assoiffées d'or et de jouissances. Laissons à d'autres nations, moins éprises d'idéal, ce mercantilisme fiévreux et ce grossier naturalisme qui les rivent à la matière.[11]

Retenues par ce boulet matériel, ces nations transformeront le monde en édifiant une civilisation qui, sans voir l'idéal recommandé par Paquet, n'en fera pas moins l'envie d'un Edmond de Nevers. Pendant que l'on faisait des discours enlevants ou que l'on écrivait des anathèmes mordants: «de 1867 à 1894, quel chapitre, quelle page pourra-t-on ajouter à l'histoire de la race française en Amérique?»[12] se demandera l'auteur de *L'avenir du peuple canadien-français.* La seule page que l'on pourrait écrire du dernier tiers du XIXeme siècle ne pourrait que parler de vacuité intellectuelle, d'autoglorification impertinente et de grandiloquence impuissante.

---

9 J.-P. Tardivel, *Mélanges,* p. 7.

10 *Ibid.,* p. 8.

11 Louis-A. Paquet, «La vocation de la race française en Amérique», *Bréviaire du Patriote canadien-français,* p. 57.

12 E. de Nevers, *L'Avenir du peuple canadien-français,* p. 23.

Chapitre VI

L'assurance béate fait place au doute et à l'inquiétude critique

Chapitre VI

L'assurance béate fait place au doute et à l'inquiétude critique

La nécessité de l'orthodoxie avait conduit à ce cul-de-sac qui fera décrire ainsi la fin de notre XIXe siècle: «résistance négative, inaction, intégrisme» [1]. Il n'est guère surprenant de voir que les discours de Chapais, les causeries de Routhier, les éditoriaux de Tardivel et les sermons à la Paquet ne pouvaient nourrir indéfiniment et exclusivement la pensée québécoise. Il était à prévoir qu'une réforme lente allait s'amorcer. Elle vint d'abord sous la plume d'un jeune Canadien que ses études indigènes n'avaient pu combler et qui était allé chercher ailleurs, en France et en Allemagne, une nourriture plus dense. Mais le fait qu'il ait publié en France à tirage limité une œuvre qu'il n'allait jamais mettre sur le marché, mais distribuer discrètement à quelques amis, nous en dit long sur la force de l'orthodoxie régnante. Il y avait dans *L'Avenir du peuple canadien-français* d'Edmond de Nevers une critique intéressante de l'apathie et de la stérilité de la société canadienne: «Nous sommes restés patriotes, mais de ce patriotisme inactif et aveugle dont on meurt»[2]. Désireux de voir progresser la nation et de lui assigner un rôle important, de Nevers condamne ces efforts verbeux et gaspilleurs d'énergies. Pour les mêmes raisons, il condamne l'électoralisme provincial et l'exclusivisme religieux de la pensée officielle. Convaincu par ses rencontres à l'étranger de la défaillance de l'organisation sociale et du rendement intellectuel pitoyable du système d'éducation, il s'efforce d'attirer l'attention sur la nécessité de diversifier l'activité intellectuelle et sur l'obligation de réformer certains modes d'enseignement: «Que la Nouvelle-France soit, sur ce continent, en même temps que la fille aînée de l'Eglise, la fille aînée de la pensée et du progrès, dans les hautes sphères de la poésie, de la science et des arts»[3].

---

1 Pierre Vadeboncœur, *La ligne du risque*, p. 193.

2 E. de Nevers, *L'Avenir du peuple canadien-français*, p. 17.

3 E. de Nevers, *op. cit.*, p. 160.

E. de Nevers dans la tradition critique est généralement classé avec les penseurs de gauche. Avec raison, si nous ne le considérons que sous l'aspect que nous venons de voir. Mais en fait, il est plus difficile à cataloguer que cela. Si certains de ses jugements dénotent une lucidité plus vive que celle de ses contemporains ultramontains, il demeure cependant encore tout rempli d'un messianisme qui s'appuie sur des préjugés culturels et raciaux. Il «pense» bien sûr, mais il ne peut oublier cette pensée conservatrice qui l'a formé: si loin qu'il aille, il n'arrive pas à oublier son point de départ. Passons rapidement sur ses longues analyses sociales d'où le peuple anglo-saxon ne réussit pas encore à sortir de son vil matérialisme et d'où la France, comme toujours et malgré des égarements pardonnables, surgit dans tout l'éclat de sa supériorité. Arrivons à ses prospectives d'avenir où ses rêves l'amènent à voir non seulement l'avenir du peuple canadien-français comme remarquable mais surtout à voir dans l'exode des francophones vers les Etats-Unis un geste de la Providence pour faire provigner en Nouvelle-Angleterre une Nouvelle-France qui ne pourra que supplanter la première. Au fond, à l'exemple de toute la pensée réactionnaire, E. de Nevers demeure un mégalomane: «Nous ne pourrons être un peuple qu'à la condition d'être un grand peuple»[4]. En plus de quelques idées nouvelles voulant lancer le peuple québécois dans l'action, l'auteur de *L'Avenir du peuple canadien-français* charrie avec lui toute la philosophie messianique et le culte de la supériorité raciale... à la veille de devenir raciste.

Le mouvement vers le renouveau est cependant définitivement lancé. Et la pensée traditionnelle elle-même emboîtera le pas... tout en restant bien fidèle à elle-même. Henri Bourassa, l'homme de Notre-Dame, est lui-même bien représentatif d'un tournant de la pensée québécoise. Traînant avec lui tous les thèmes éculés de la tradition, au moyen du génie du verbe et d'un style ronflant, se promenant de répétitions en formules cinglantes, il réussira d'une part à faire vivre une pensée trop faible pour survivre et d'autre part à donner naissance à un courant nouveau qui deviendra le point de départ de la pensée du XXe siècle: le mouvement de *L'Action nationale.* Pour revenir à Bourassa, lui, encore moins qu'E. de Nevers, ne se libère des thèmes traditionnels, il les amplifie même un peu. Il ne se contente pas de l'idée qui veut que nous soyons les fils et les tenants d'une haute culture, il veut encore nous rendre supérieurs à cette culture qui nous a formés:

> Rien d'étonnant donc qu'il existe une différence marquée entre les Français de là-bas et ceux du Canada. Quelques

---

4 E. de Nevers, *op. cit.*, p. 18.

> penseurs respectables veulent absolument que ce soit les Français qui aient changé et que nous soyons les seuls héritiers légitimes et directs de la France de Louis XIV.[5]

Il ne venait même pas à l'idée du célèbre orateur que la «fixation» nationale fût un signe de déchéance et que l'évolution française fût un signe de vitalité. Mais, et c'est en cela qu'il rejoint le modernisme très modéré de E. de Nevers, il sent lui aussi la nécessité d'une certaine évolution et, tout en désirant que le peuple «demeure» français, il souhaite qu'il change «suffisamment pour satisfaire aux besoins du temps présent»[6]. Ces changements restent assez vagues: jamais par exemple il ne souhaite ni n'entrevoit une certaine «matérialisation» des objectifs. Avec Louis-A. Paquet, lorsqu'il regarde à l'horizon, ce qu'il voit dans «les brumes de l'avenir», ce n'est ni «une cheminée de fabrique, ni une gare de chemin de fer»; il voit plutôt la civilisation québécoise «comme l'une de ces vieilles cathédrales, œuvres admirables de l'art, élevées par la foi des peuples, dans une pensée d'amour sous l'inspiration du génie chrétien»[7]. C'est toujours Henri Bourassa qui en 1920 subordonnera «la lutte pour la langue française (...) à la lutte pour la foi» en précisant que l'«on ne saurait trop redire que les traditions canadiennes-françaises doivent être conservées surtout parce qu'elles constituent de précieux éléments de l'ordre social catholique»[8]. Jamais l'on n'avait exprimé avec tant de précision ce qu'était l'«ultramontanisme»: subordonner tous les intérêts nationaux à l'intérêt de l'Eglise romaine.

Un autre penseur allait surgir en ce tournant du siècle qui, lui, allait lancer la pensée québécoise dans un sens plus positif, l'économiste Errol Bouchette. Prenant bien soin lui aussi de ne pas brusquer les choses, il va s'efforcer de montrer aux dirigeants québécois qu'à l'Agriculture on pourrait joindre l'Industrialisation et que c'est même à cette seule condition que nous pourrons survivre en Amérique. Son cri «emparons-nous de l'industrie»[9], tout en répondant à la conquête du sol arable de la pensée traditionnelle, le rattachait directement à la pensée libérale et surtout à Etienne Parent. Pour conduire la société québécoise à l'industrialisation et aux carrières économiques Bouchette commence par démythifier la «vulgarité» américaine:

> Une littérature plus brillante et plus variée que la nôtre, de grands hommes d'Etat, des savants, des penseurs, une popu-

---

5 Henri Bourassa, «Le rôle des Canadiens français», p. 113.

6 Henri Bourassa, «Le rôle des Canadiens français», p. 135.

7 *Ibid.*, p. 138.

8 Henri Bourassa, texte cité par *L'Action nationale, 43,* no 1, p. 41.

9 E. Bouchette, *L'indépendance économique du Canada français,* p. 97.

> lation universitaire de plus de 50,000 étudiants ne manque pas de vie intellectuelle.[10]

Cette pensée économiste révolutionnait les idées au Québec et rejetait quelques thèmes, et des plus forts, aux orties: celui de la supériorité française, celui du matérialisme anticulturel et enfin celui de l'antipathie pseudo-naturelle du Québécois et de l'industrie. Elle voulait pousser la civilisation québécoise dans le courant progressiste nord-américain: «Une civilisation nouvelle nous appartient à nous les descendants, mais nous ne sommes pas seuls pour en jouir et pour la développer»[11]. Naturellement, on ne fit lire à aucun étudiant ce livre capital et jamais l'instruction publique ne distribua le volume aux distributions de prix en fin d'année académique. Celui d'Edmond de Nevers non plus ne reçut guère de réclame de la part des autorités intellectuelles. Bien plus, «on les taxa d'athéisme pour l'excellente raison qu'ils enseignaient la théorie économique du libéralisme»[12]. D'autre part, tous les étudiants apprirent par cœur les enlevantes pièces d'éloquence d'Henri Bourassa.

---

10 *Ibid.*, p. 237.

11 E. Bouchette, *op. cit.*, p. 320.

12 Pierre Elliot Trudeau, *La grève de l'amiante*, p. 15.

Chapitre VII

L'Action nationale: une renaissance de la pensée québécoise

Chapitre VII

L'Action nationale: une renaissance de la pensée québécoise

Après s'être enlisée dans les chemins marécageux d'une orthodoxie oiseuse et stérile, la pensée québécoise, stimulée par des penseurs comme E. de Nevers et E. Bouchette, aiguillonnée par l'action débordante d'Henri Bourassa, allait s'acheminer sur une voie plus créatrice. Lorsqu'en 1917, le premier numéro de *L'Action française* apparaît sur le marché c'est une ère nouvelle qui commence. Devant les piètres résultats obtenus jusqu'ici par la société québécoise, les rédacteurs de *L'Action* s'efforcent d'aller un peu plus de l'avant. Avec eux une rigoureuse dialectique de la survie nationale va s'engager. Pris dans un monde anglophone qui refuse de reconnaître le fait français, les jeunes intellectuels des années 20, aidés de quelques aînés, vont travailler à la revalorisation du phénomène linguistique et national: «Au sein d'une civilisation matérialiste et contre les politiciens souvent sans pudeur, l'école nationaliste fut à peu près seule à dresser une pensée»[1], dira d'eux un homme qui n'avait aucune raison de louanger la revue nationaliste, Pierre E. Trudeau. De fait l'équipe de *L'Action française* va réunir autour d'elle tous les intellectuels, tous les hommes d'affaires, tous les universitaires dans une action concertée pour unifier et clarifier la notion de la nation canadienne-française, les objectifs qu'elle se propose et les moyens à mettre en œuvre pour accomplir les buts visés. Ce fut une grande entreprise de réunification et de réflexion intense. Pour cela et afin de donner à leur action une valeur plus grande et des chances de réussite plus concrètes, les dirigeants de la revue commencèrent une série d'enquêtes approfondies sur les différents problèmes de la société québécoise, ainsi que sur les groupes sociaux constituants. La jeunesse eut droit à son enquête, on détermina le rôle de la femme, les ouvriers eux-mêmes eurent une fonction déterminée. Les plus connues et les plus intéressantes de ces enquêtes furent «Notre avenir politique» ainsi que «L'avenir de notre bourgeoisie».

---

1 Pierre Elliott Trudeau, *La grève de l'amiante,* p. 13.

Avant de passer à ces analyses spécialisées, il fallait cependant se donner une ligne de conduite et «pour mettre l'ordre dans les choses, en mettre d'abord dans les esprits»[2]. Cet ordre à mettre dans les esprits fut la principale préoccupation de la revue. Dès le premier numéro, E. Montpetit, dans un article intitulé «Vers la supériorité», éclairait les lecteurs sur les projets des nouveaux intellectuels. Ne se fier qu'au titre de l'article serait trompeur. On pourrait revoir là une manifestation de la gradiloquence de la pensée orthodoxe. Il y a bien sûr un relent de cette pensée. Mais nous retiendrons surtout ceci: cette supériorité ne pourra être atteinte que par le travail. Elle n'est plus innée, comme l'avait laissée croire Adolphe-Basile Routhier ou F.-L. Laflèche. Car présentement, pour Montpetit, non seulement le peuple québécois n'est pas supérieur, mais il est de beaucoup inférieur à ses voisins. Et alors, il reprend la campagne de Bouchette et prêche que «la conquête économique doit être pour nous la réalité de demain»[3]. Cette conquête économique, pour Montpetit comme pour tout le mouvement dans lequel il s'inscrit, ne peut être un souci bassement individualiste. Nous touchons là une caractéristique fondamentale de *L'Action française*: l'effort de l'individu n'a de sens et de succès qu'en autant qu'il s'inscrit dans un mouvement collectif où l'individu supporté par un idéal national redonne en retour à cet idéal toutes les énergies nécessaires à la montée du peuple et à la réalisation du projet collectif:

> L'individu n'est fort que par le groupe qui l'utilise et le complète. Il serait exagéré de lui demander de tout savoir, de tout prévoir. Il suffit que, instruit de son rôle, exécutant l'acte qui lui est confié, il assure l'œuvre que poursuit la collectivité.[4]

Voilà en quelques lignes le sens du nationalisme de *L'Action française*. C'est en faisant un voyage aux Etats-Unis en 1918 que Montpetit complétera définitivement sa pensée économique nationale. En visitant l'encore jeune université de Berkeley et voyant tout ce que la richesse matérielle peut donner à l'esprit et à l'idéal, il reviendra avec quelques notes réalistes qui le rapprochent de Parent et de Bouchette. Mais qui se souvenait de ces penseurs? Aussi les constatations de Montpetit estomaquèrent-elles. En regardant le budget de $3 000 000 de l'Université Berkeley, il fera un commentaire dont Louis-A. Paquet et H.-R. Casgrain eussent pâli d'épouvante:

> Et si, comme nous disons avec une moitié de raison, «l'argent n'est pas tout», on conviendra que c'est déjà quelque chose.[5]

---

2 E. Minville, «Ce que nous voulons», *L'Action française, 6,* octobre 1936, p. 95.

3 E. Montpetit, «Vers la supériorité», *L'Action française, 1,* no 1, 1917, p. 1.

4 *Ibid.,* p. 5.

5 E. Montpetit, «Six jours à Berkeley», *Revue trimestrielle canadienne,* mai 1918, p. 6.

Si modérée que soit cette affirmation, elle proposait à la pensée québécoise un bon bain de réalité. Aux Etats-Unis, loin de voir le bas matérialisme, le jeune professeur d'économique constate que:

> Partout s'affirme une préoccupation d'art et de beauté, une volonté d'enseigner non plus seulement les riches, mais les petits, les humbles, les foules. Partout s'élèvent des écoles, des collèges, des universités, des bibliothèques, des musées.[6]

De ses réflexions, de ses observations, E. Montpetit tire une pensée tout entière préoccupée du progrès social et économique de la nation canadienne-française. Mais lui et toute la société qui l'entoure sont encore trop près de l'idéalisme du XIXe siècle. Même avec les meilleures intentions, ils ne réussirent jamais à incarner dans des projets concrets leur idéal de conquête économique. Parler d'économie dans une chaire universitaire, écrire à ce sujet de brillants articles ne changent que très peu la réalité. Les idées, elles, s'apprivoisaient cependant à la pensée économique. Le principal mérite de E. Montpetit fut de contribuer à changer un climat d'esprit qui rejetait à priori l'économique.

L'état d'esprit change au Canada français plus vite que les thèmes. Le principal artisan du changement — changement dans l'ordre d'une plus grande structuration et d'une plus grande force intellectuelle — fut Lionel Groulx. Ce jeune clerc intelligent, un tantinet illuminé, dominera les années vingt et trente de son dynamisme et de sa persévérance. Ne craignant pas de braver l'autorité — calmement bien sûr mais avec grande conviction — il groupera autour de lui des hommes intelligents qu'il mettra au service d'une pensée nationale. Ayant compris très tôt qu'il fallait sortir du gouffre intellectuel collectif dans lequel s'enfonçait la société québécoise, il part à l'attaque: «Le vent est à l'action, aux méthodes énergiques»[7]. C'est à son dévouement sans bornes, à sa détermination et à son intelligence que nous devons les premières études d'importance sur la société québécoise. Sa volonté «aristocratique» s'attaquera surtout à trouver et à former une élite capable de comprendre un peuple, de reconnaître son destin et de l'y mener sûrement. Parce que «toute action libératrice procède des penseurs à la foule»[8], Lionel Groulx cherchera «les penseurs» et les aidera à trouver le droit chemin. Les voies qu'il tracera nous sont quelque peu familières cependant: «Il faudra bien que nous soyons de chez nous et de notre passé, si nous voulons continuer quelque chose»[9]. Cette dimension autocentrique

6 *Ibid.*, p. 17.

7 Lionel Groulx, «Une action intellectuelle», *L'Action française, 1*, no 2, 1917, p. 33.

8 *Ibid.*, p. 35.

9 *Ibid.*, p. 37.

nous surprend un peu chez un penseur dont l'élan nous annonçait un programme aux dimensions plus vastes. Mais le directeur du mouvement de *L'Action française* reste attaché à certains postulats qui ne se sont pas renouvelés depuis Casgrain: «Notre littérature de demain, catholique et française, se fera aussi bravement régionaliste»[10].

Avec Groulx, notre «vocation surnaturelle» existe toujours. Notre salut d'Etat «catholique et français»[11] n'est pas qu'un vain titre de gloire; il comporte des devoirs et des règles auxquels notre destin nous lie. Et si la nation canadienne-française veut se montrer digne de ses origines, elle doit accepter de soumettre son destin à certaines conditions. La première de ces conditions est qu'aux niveaux individuel et collectif, tous s'efforcent de conserver cette «âme particulière» dont ils sont les dépositaires. La particularité de cette âme est que, pour conserver toute sa pureté, toute son authenticité virginale, elle doit aussi se garder des contacts corrupteurs qui pourraient l'entraîner dans un abâtardissement de mauvais aloi: «échapper à tout contact, à toute compression où cette âme pourrait mourir ou subir d'irréparables transformations»[12]. Une pierre à la fois aussi précieuse et aussi fragile doit être conservée dans un écrin protecteur que seuls pourront ouvrir ceux qui en connaissent la valeur. Aussi faut-il donner au peuple une forteresse bien gardée. Ce sera un état indépendant où la nationalité «maîtresse absolue de sa vie»[13] pourra se conserver dans toute sa splendeur. Il ne s'agira que de régler savamment le thermostat d'une serre bien chauffée afin que le peuple puisse entendre la voix de ses maîtres du présent et du passé qui lui «inspirent de durer selon la loi de leur sang»[14]. Lionel Groulx n'aime pas les demi-mesures. Pour lui, il faut être tout entier ou ne pas être. S'adressant à un groupe de bourgeois, leur parlant du rôle privilégié qu'ils ont à remplir pour la conservation (nous sommes près des musées) de l'âme québécoise, il aura ce mot terrible et juste:

> Canadiens français, si nous ne pouvons l'être que d'une façon qui équivaut à ne pas l'être, qu'attend-on, en haut lieu, qu'attendent nos chefs pour nous le dire et pour nous commander de disparaître.[15]

Mais ce ne sont là que fleurs de rhétorique: l'auteur de *La naissance d'une race* ne veut pas en voir la mort. La vie qu'il lui souhaite, avec

---

10 *Ibid.*, p. 39.

11 Lionel Groulx, *Notre avenir politique*, p. 21.

12 *Ibid.*, p. 22.

13 *Ibid.*, p. 22.

14 Lionel Groulx, *Notre avenir politique*, p. 23.

15 Lionel Groulx, *L'Avenir de notre bourgeoisie*, p. 112.

toutes ses exigences de pureté, ne peut se garder cependant que sous un régime un peu spécial. Si «nous avons besoin d'une grande espérance qui traverse notre ciel et soulève enfin nos volontés»[16], il faut que tout un peuple se jette à genoux et implore les dieux à l'exemple de cette jeunesse à laquelle s'adresse l'instigateur de *L'Action nationale:*

> Et vous, jeunesse, qui tant de fois nous avez déçus, mais qui toujours avez ranimé nos espoirs, faites que, par tous vos labeurs et par toutes vos prières, nous arrive ce qui, pour tout peuple trop affaissé est une indispensable condition de ressaisie, faites que nous arrive ce qui est arrivé au Portugal, à l'Espagne, à l'Irlande, à la Pologne, à l'Italie, même à la Turquie: un chef, un entraîneur, un excitateur d'enthousiasme et de volonté, qui soit aussi un calme ordonnateur d'énergies, un homme qui sache par quelle politique organique, persévérante, l'on sauve un pays; et alors, par vous, jeunesse, c'en sera fini de porter nos âmes en berne; nous les hisserons à hauteur d'homme, à la hauteur des grands Français nos aïeux.[17]

Un sang qui ne saurait mentir; un idéal envoûtant, un Maître! Recette dangereuse et tantôt mijotée.

---

16 Lionel Groulx, *Notre avenir politique*, p. 30.

17 Lionel Groulx, *L'Avenir de notre bourgeoisie*, p. 112.

Chapitre VIII

De Jean-Charles Harvey à André Laurendeau: entre le fascisme et la réaction

Chapitre VIII

De Jean-Charles Harvey à André Laurendeau: entre le fascisme et la réaction

Les appels à l'enthousiasme et à l'embrigadement lancés par *L'Action française-nationale* ne rencontreront pas uniquement des oreilles de sourds. Un climat se crée d'où sortent des hommes et des idées, des mouvements même qui moduleront à leur façon les mots d'ordre lancés par Lionel Groulx. Vers les années 1930, les penseurs s'efforcent de laisser tomber l'idée de repos et veulent tendre les énergies vers une diversification et une universalisation de l'activité intellectuelle québécoise. *L'Ordre* d'Olivar Asselin est sur ce point l'organe le plus révélateur. Batailleur désintéressé, à la pensée guidée par un idéal jamais rabaissé, Olivar Asselin mènera une campagne d'approfondissement et de qualité sur tous les fronts:

> Pour *L'Ordre* la renaissance nationale ne consistera pas uniquement, ou surtout, dans l'intensification de la natalité, mais dans le développement des plus hautes virtualités du peuple: intellectuelles, morales, même physiques.[1]

Mais les idées ont encore quelque difficulté à pénétrer la société québécoise. Toutes les difficultés que rencontre Jean-Charles Harvey illustrent jusqu'à quel point la société était encore proche du XIXe siècle. La lutte de l'auteur des *Demi-civilisés* en est une, au début, d'authenticité du vécu. «Soyez personnels, soyez vous-mêmes»[2], demandera-t-il à la jeunesse à qui revient le soin de changer les valeurs traditionnelles pour de nouvelles, plus conformes aux exigences des temps et des hommes modernes: «Donnez à la société à laquelle vous appartenez les éléments nouveaux que la vie a fait éclore dans votre sein»[3]. Que l'action dans laquelle se lance la jeunesse ne quitte pas des yeux «la vision de cette vierge lumineuse qu'on appelle l'idéal»[4] afin

---

1 Olivar Asselin, «En guise de programme», *L'Ordre*, première année, no 1, 10 mars 1934, p. 2.

2 Jean-Charles Harvey, *Pages critiques*, p. 182.

3 *Ibid.*, p. 183.

4 *Ibid.*, p. 182.

que les «intelligences d'élite»[5] puissent poursuivre noblement et sans défaillance cette longue marche collective qui, chez Harvey, comme chez Groulx et Montpetit, comme dans toute la pensée québécoise, doit conduire à «une incontestable supériorité»[6]. Pendant un certain temps, défiant tout compromis, J.-C. Harvey poursuivra malgré vents et marées, sa recherche. Quoi qu'il devienne lui-même, il aura cependant passé la main à toute une équipe qui pendant quelque temps sèmera la terreur dans les foyers traditionnels de la pensée. Un mélange de l'emballement de Groulx, des excès de J.-C. Harvey et de la rigueur d'O. Asselin allait se retrouver dans les pages rapides de *Vivre* sous la plume du rédacteur en chef: Jean-Louis Gagnon.

«A nous jeunesse», s'écrira-t-il dans le premier *Cahier noir* de la revue. Par cette exclamation, il veut rejoindre autour de lui tout ce qui est «vivant» et capable d'affronter un avenir avec l'énergie nécessaire à la construction. Reconnaissant que «Asselin, Bourassa, Groulx, LaVergne sont des maîtres»[7], la direction de la revue nous propose son programme:

> Vivre, c'est évoluer, c'est-à-dire, se défaire de tout esprit de conformisme, de toute idée en série, de tout préjugé. Voilà pourquoi vivre, c'est être jeune. C'est la révolte des générations qui montent et veulent inventer un état de vie nouveau, propre à elles, qui soit leur...[8]

La jeunesse de 1930 semble en effet étouffer dans un carcan qui la limite et la rapetisse à des dimensions proches de la bêtise. *Vivre* dans un mouvement d'humeur juvénile veut sortir de l'ornière de silence que l'autoritarisme indigène recommande. Les jeunes «révolutionnaires» veulent «exprimer publiquement ce que pense à couvert une bonne partie de la jeunesse»[9]. Et ce que la jeunesse pense c'est que l'orthodoxie a déjà assez duré et qu'il est temps que quelque chose change et que la pluralité des idées s'installe:

> Nous ne pouvons continuer d'accepter comme de vieilles anglaises tartuffées jusqu'aux moëlles, les discours menteurs des métèques et des nôtre qui nous félicitent d'être restés un peuple profondément catholique.[10]

L'unité de pensée existe peut-être pour *Vivre* et ses rédacteurs, Pierre Chalout, Gérard Dagenais et autres, mais elle serait autre que celle qui

---

5 *Ibid.*, p. 184.

6 *Ibid.*, p. 184.

7 La Direction, *Vivre*, première série, no 6, janvier 1935, p. 4.

8 La Direction, *Vivre*, deuxième série, no 2, 22 mars 1935.

9 La Direction, *Vivre*, première série, no 6, janvier 1935, p. 3.

10 La Direction, *Vivre*, première série, no 3, p. 3.

règne plus ou moins sur la société dans laquelle ils vivent et dont les piètres caractéristiques ne semblent guère leur plaire:

> Rendu au grand X de sa destinée, le Pays de Québec sent que le temps est venu de mettre un point final à cette idiotie qui dure depuis trois siècles: exister. La quêteucratie canayenne étant devenue, en effet, une sacrée tradition sacrée en passe de devenir un protocole.[11]

Jean-Louis Gagnon et son équipe veulent du neuf. Révolutionnaires, ils semblent bien l'être. Mais il semble aussi que toute la société veuille respirer un air nouveau. Dans sa lettre d'accueil, Lionel Groulx se dit heureux de la naissance de la revue: «Enfin, Dieu soit loué! Voici surgir de tout côté du neuf, du vrai neuf»[12] J.-M.-Rodrigue Villeneuve lui-même, évêque de Québec, tenant de l'orthodoxie *ex officio,* s'emballera pour ce nouveau vent qui gonfle les voiles de la génération montante:

> Notre jeunesse en a fini de son pieux conformisme. Elle veut la révolution des idées au moins... avant celle des états sociaux.[13]

La réforme, le renouvellement des idées sinon la révolution, étaient dans l'air. Tous étaient fatigués de stagner dans les mêmes idées abstraites. Tous désiraient aussi un changement, moins dans les idées que dans les faits. Le fascisme annoncé par Lionel Groulx progressait, s'affirmait et devenait monnaie courante. Les jeunes rédacteurs de *Vivre* diront:

> A vingt ans ce n'est pas l'âge de légiférer doctement, mais bien de faire un effort pour réaliser ce qu'il y a de juste et de vrai dans les principes émis par les doctrinaires![14]

Ils se glorifieront même d'être les premiers à approuver «la dictature hitlérienne»[15], croyant si grande la valeur de ce régime que le reconnaître devenait un honneur. Il se trouve même un André Laurendeau pour vanter le régime mussolinien dans *L'Action nationale* des mêmes années. En 1942 d'ailleurs, Rex Desmarchais, l'un des principaux rédacteurs de *Vivre,* n'écrira-t-il pas avec *La Chesnaie* l'un des plus authentiques manifestes fascistes. Et ce, sous le régime du peu démocratique Duplessis. La nostalgie du «maître» restera longtemps au cœur des disciples, de droite et de gauche, de Lionel Groulx.

---

11 Jean-Louis Gagnon, «Introduction à J.-C. Harvey», *Jeunesse,* Coll. «Les Cahiers noirs», Ed. du Quotidien, Québec, 1935.

12 Lionel Groulx, «Témoignage», *Vivre,* première partie, no 3, p. 18.

13 J.-M.-R. Villeneuve, propos cité dans «Editorial», *Vivre,* première série, no 5, décembre 1934, p. 3.

14 La Direction, *Vivre,* première série, no 5, janvier 1935, p. 3.

15 Pierre Chalout, *Vivre,* première série, no 5, décembre 1934, p. 31.

Parallèlement à ces courants d'idées, se développe tout un mouvement dont l'importance semble avoir été très grande pour les contemporains si l'on en juge par leur témoignage. Le *Jeune-Canada,* dont tous les membres sortent ou reçoivent un excellent accueil de la part de *L'Action nationale,* est un regroupement de forces nationalistes — de type traditionnel — de la jeunesse québécoise dont le zèle et l'action sont tout entiers inspirés par la doctrine de Lionel Groulx: quelque chose comme sa phalange laïque. Pris encore dans des considérations d'ordre linguistique de style biculturel ce mouvement ne semble pas dépasser les réclames des premiers numéros de *L'Action française* pour les calendriers bilingues: des calendriers, on est passé à l'argent et aux chèques. Tout cela se fait avec une volonté tenace de faire reconnaître par les maîtres anglo-saxons l'existence du fait culturel francophone en prenant comme thèse de départ qu'il faut «se souvenir que nous ne serons maîtres chez nous que si nous devenons dignes de l'être»[16]; cela se poursuit par une vigilance de tous les moments dans tous les domaines, se donnant comme but premier «d'abord la mission apostolique du Canada français à laquelle (ils) croient beaucoup. Ensuite de propager la civilisation française»[17]. Avec le *Jeune-Canada* cependant, nous retournons quelque peu en arrière et nous oublions Bouchette. Parent et Montpetit pour nous attarder à une défense «réactionnaire» de la civilisation québécoise: «La société industrielle et capitaliste plonge ses victimes dans l'impossibilité d'accéder aux valeurs spirituelles»[18]. Comme A.-B. Routhier, entre le progrès et la «conservation» nationale, le jeune A. Laurendeau n'hésite pas, il sacrifie le progrès car: «des ouvriers moins pauvres ne seront pas pour autant des ouvriers nationalistes»[19]. Cette nouvelle aliénation au réel, vis-à-vis de laquelle Laurendeau prendra ses distances, nous amène directement à la philosophie de *La Relève* dont le critique économique Roger Duhamel avait jugé ainsi le mouvement *Jeune-Canada:*

> L'historien des idées au Canada français (s'il existe jamais!), constatera qu'une bonne part du réveil auquel nous assistons est due à cette cellule d'élite connue sous le nom de *Jeune-Canada*.[20]

En même temps que l'importance du courant d'idées, cette louange nous montre le lien idéologique entre le mouvement et la revue qui porte ce jugement.

---

16 *L'Action nationale,* «Manifeste des jeunes», *I,* février 1933, p. 120.

17 André Laurendeau, «Le Jeune-Canada», interview accordée à *Vivre,* deuxième série, no 3, avril 1935.

18 André Laurendeau, «Conclusions très provisoires», p. 415.

19 *Ibid.*, p. 417.

20 Roger Duhamel, *La Relève,* II, no 5, 1936, p. 152.

Chapitre IX

Autour de La Relève: *intellectualisme et régression*

Chapitre IX

Autour de **La Relève**: *intellectualisme et régression*

Les esprits qui se groupent autour de *La Relève* sont tous entraînés dans un élan spirituel dont les principales caractéristiques sont la mise en valeur de l'individu dans un mépris hautain de la matière et du monde moderne. Fatigués de l'embrigadement national, tout comme le furent les artistes de l'«Ecole littéraire de Montréal», les jeunes Outremontois de la revue vont militer pour l'édification «d'un art, d'une littérature et d'une pensée dont l'absence commence à leur peser»[1]. Dédaigneux de tout ce fatras régionaliste que constituent les scribouillages de leurs prédécesseurs canadiens-français, tournés vers une pensée européenne française qui correspond mieux à leur exigence intellectuelle, à l'écoute de philosophes sérieux, ils militèrent en faveur d'un personnalisme qui se souviendrait d'un Thomas d'Aquin modernisé. Leurs principales préoccupations sont d'ordre religieux dans l'engagement sérieux de tout leur être:

> Notre catholicisme ne s'oppose pas à un art personnel, il le dépasse comme il dépasse une politique nationale: mais il s'y appuie comme sur la personne humaine.[2]

Dans les structures architectoniques de leurs valeurs, les jeunes intellectuels placent, à la toute pointe, leur engagement chrétien, ce qui les libère de préoccupations plus immédiates, plus terre à terre comme le politique et le social. En vivant le christianisme, ils ont la conviction de dépasser les préoccupations matérialistes et de redonner au monde sa véritable direction, son authentique raison d'être:

> LA RELÈVE entend jouer un rôle social en rendant pour sa part dans le monde la primauté au spirituel.[3]

Forts de ce credo et libérés des préoccupations sociales et politiques, les jeunes collégiens se donneront tout entier au développement et au

---

1 La Direction, «Positions», *La Relève, I,* no 2, p. 4.

2 *Ibid.,* p. 4.

3 La Direction, «Positions», *op. cit.,* p. 5.

culte de leur personne. L'individu a comme rôle social non pas de se lancer dans les grandes réformes, mais de développer son individualité de telle sorte que son épanouissement soit l'apport le plus enrichissant qu'un homme puisse donner à son milieu. A *La Relève,* le social n'est que l'addition d'individualités autonomes:

> Je crois que je sauverai ma patrie en me sauvant moi-même.[4]

Cet individualisme «social» mènera la rédaction de *La Relève* à négliger le national, et ce, toujours pour la même raison: leurs préoccupations sont loin de ce stade vulgaire et les valeurs qu'ils cherchent contiennent et drainent avec elles, en les transcendant, les valeurs inférieures:

> Les problèmes de la personnalité et de la culture nous ont paru préalables à l'action nationale.[5]

La personnalité et la culture étant prioritaires, tous les autres problèmes sont réglés, y compris le social et le national.

Avec des principes dont la particularité première est de vouloir s'embarrasser le moins possible des contingences matérielles, il n'est pas étonnant que le courant d'idées s'engage de plus en plus dans les ornières irréversibles d'un retour au passé, d'un retour à l'âge d'or où l'homme libéré des entraves de la réalité se retrouve tout entier dans l'unique quête du spirituel. Cet âge d'or sera bien entendu ce moyen âge mythique que nous livre une histoire édulcorée ou un rêve désincarné. L'histoire de l'humanité au cours des cinq derniers siècles enseigne à *La Relève* que le rêve de l'homme de pouvoir se libérer complètement de toute dépendance envers Dieu conduit d'abord au néant d'un humanisme «qui vide l'homme au lieu de l'élever»[6]. En perdant l'unité multi-dimensionnelle du moyen âge, l'homme se perd dans l'individualisme nietzchéen ou dans le socialisme marxiste, perdant dans les deux cas l'unité naturelle de la personne. Le socialisme n'étant qu'une réduction de l'homme en une «catégorie économique», il ne saurait représenter ni un progrès pour l'humanité, ni une voie pour l'avenir. Si l'humanisme consomme son échec dans le socialisme, il faut au plus tôt opérer une marche arrière et revenir à un stade antérieur où l'homme, retrouvant son unité dans une soumission intelligente à Dieu, va enfin pouvoir retrouver la paix et le bonheur que ses velléités d'indépendance lui ont fait perdre. Des pestes, des famines, des guerres du moyen âge, *La Relève* ne dit mot. De retour à la monarchie paternaliste, l'homme, ayant retrouvé la simplicité et

---

4 André Laurendeau, *La Relève, II,* no 2, 1935, p. 35.

5 *La Relève,* texte signé par l'équipe, premier cahier, 4e série, nov.-déc. 1938, p. 194.

6 *La Relève,* «Un nouveau moyen-âge», texte signé par l'Equipe, cahier no 8, 1935, p. 210.

l'harmonie des temps révolus, pourra à nouveau vivre dans «une société plus laborieuse, à base de travail qualitatif auquel elle accordera son sens religieux».[7]

Cette régression à un stade antérieur où le bonheur et la vie ne deviennent possibles que dans le rejet du présent va conduire une certaine forme de la pensée québécoise à cette maladie intellectuelle et sociale que fut la pensée de Saint-Denys Garneau:

> Il faut donc atteindre à cette possession de soi par soi, progressivement et dans le temps.[8]

Cette nouvelle androgynie platonicienne qui verse dans le nombrilisme allait amener toute une génération d'écrivains à consacrer leur vie et leurs écrits à se défendre d'un engagement collectif dont ils n'avaient que faire et de préoccupations matérielles qu'ils méprisaient. «Le splendide isolement, c'est la mort», écrira Robert Elie dans une préface à *L'Homme d'ici* d'Ernest Gagnon. On ne peut s'empêcher en lisant cette remarque de penser au correspondant et ami de l'auteur, Saint-Denys Garneau, et à sa pensée dont l'aboutissement ressemble à sa vie. Le rejet du national, qui n'est pas un mal en soi, devient chez l'auteur de *Regards et jeux dans l'espace* (titre fort éloquent) une modulation du rejet de soi qui le hante, lui et toute cette génération:

> Faire des Canadiens français est une notion qui a peut-être cours mais qui n'a aucun sens. Elle est même à contre sens et et contre nature. On peut prendre conscience de soi pour se donner, se parfaire: mais non pas pour se parfaire soi, mais bien pour se parfaire homme. D'ailleurs, on devient soi non pas tant en se cherchant qu'en agissant. Tout mouvement vers soi est stérile.[9]

Il est d'ailleurs à propos de *La Relève* une observation inquiétante à faire. Ces jeunes, les mieux éduqués et les plus brillants de leur génération et des générations précédentes, seront absolument bloqués, et ce pendant longtemps, face à ces étrangers qu'ils admirent — français surtout et parmi les plus célèbres — et à qui ils ouvrent toutes grandes les pages de leur revue. Lorsque la guerre se déclenche et que les intellectuels européens s'exilent en partie au Canada et aux Etats-Unis, il est remarquable de constater que servilement les rédacteurs de *La Relève* se retirent et laissent timidement leurs feuilles se noircir de l'écriture étrangère comme si, honteux d'être ce qu'ils sont, ils craignaient de diminuer la valeur des Maîtres étrangers en plaçant

---

7 *La Relève*, «Un nouveau moyen âge», *op. cit.*, p. 214.

8 *La Relève*, texte signé par l'équipe, *I*, cahier no 7, p. 154.

9 H. de Saint-Denys Garneau, *Journal*, p. 205.

leurs «pauvres cogitations» près des «Oracles» infiniment «supérieurs». Il ne retrouveront leur éloquence — et la coïncidence n'a de surprise pour personne — que lorsque la guerre finie, les «Maîtres» d'hier auront retrouvé d'autres revues européennes plus prestigieuses pour imprimer leur pensée. Alors les gens de *La Relève* recommenceront à écrire et à rédiger leur revue... délaissée par les «Maîtres».

Chapitre X

Le corporatisme

Chapitre X

Le corporatisme

Nous pouvons constater un lien facile entre les intellectuels de *La Relève* et ceux de *Vivre:* dans les deux clans, on se révoltait contre la pensée traditionnelle québécoise. Pour les rédacteurs de *Vivre*, ce rejet était une volonté de transformer cette pensée en un climat intellectuel plus viril, plus critique et plus sain. A *La Relève*, le rejet était plus catégorique: il était négation puis oubli de cette pensée, noyade enfin dans un intellectualisme spiritualiste et universel. Mais une constatation plus importante est à signaler ici: il s'agit dans les deux mouvements de querelle de chapelles. C'étaient des intellectuels qui se battaient contre des intellectuels sur une question d'idées. Toutes ces contestations n'étaient que révolte de palais... On voulait changer le climat intellectuel sans connaître ou reconnaître le vrai mal, celui de la pauvreté matérielle dans laquelle croupissait le peuple québécois. Mais sans doute s'agissait-il là encore d'une évolution nécessaire: il fallait peut-être avoir tenté une révolution purement idéologique pour comprendre que cette révolution ne pouvait s'accomplir qu'après la révolution matérielle: celle qui, donnant du pain au peuple, allait lui permettre de «penser». Il aurait fallu bien du temps et quelques échecs à ces scolastiques pour se souvenir du *primo vivere* du Philosophe. D'ailleurs la terrible faillite économique des années 30 allait les aider à se rappeler cette vérité triviale que des penseurs comme E. Bouchette ou E. Parent avaient pourtant déjà signalée ...mais avec quel succès!

Même si les écrits de Saint-Denys Garneau et de *La Relève* ne nous le laissent guère pressentir, les années trente furent, pour la société québécoise comme pour toute la société nord-américaine, une difficile décennie. Plus particulièrement ici où le peuple nouvellement prolétarisé venait d'entrer dans l'ère industrielle par la porte de service. L'économie québécoise est une réelle faillite. Le gouvernement et l'élite peuvent bien encore parler de colonisation: cela montre plus leur incapacité de diriger un monde que leur bonne volonté. Mais l'élite et les dirigeants sont devant un dilemme inextricable. D'une part la politique agriculturiste est un échec: les terres sont maigres, improductives et incapables de récompenser le colon de son dur labeur, insuffisantes à le nourrir; d'autre part, l'idéologie traditionnelle a toujours condamné, comme antinationales l'industrialisation et son corollaire, l'urbanisation. Mais quoi que dise, pense ou fasse l'élite, le processus de modernisation est engagé d'une façon irréversible. Entre un agriculturisme qui est une faillite et une urbanisation qu'elle condamne, la pensée traditionnelle québécoise mourra-t-elle d'indécision? Non, elle trouvera une solution qui règle non seulement le dilemme économique mais le problème philosophico-politique qui en était né: la tentation du socialisme et du syndicalisme. Le corporatisme, ou le coopératisme [1], allait régler tous les problèmes en redonnant aux intellectuels une nouvelle tribune, à la société un nouveau rêve. Et dans les yeux de chaque lévite apparaissait le mirage d'une richesse qui s'était, jusqu'à maintenant et malgré les promesses de l'élite, tenue toujours trop loin:

> La formule coopérative ne se présente-t-elle pas actuellement comme la plus apte à nous tirer des décombres d'un capitalisme vicié comme à nous préserver des pseudo-réformes d'une socialisme révolutionnaire. [2]

Cette découverte comblera tout le monde: les penseurs et les hommes publics s'y précipitèrent comme des chacals sur l'unique charogne d'un désert... idéologique.

Fort de l'appui, de l'encouragement et de la propagande de *L'Action nationale,* le coopératisme se voulait d'abord une réponse saine aux malaises d'une société en voie de décomposition ou en voie de restructuration. Tous les maux dont souffre la société sont mis sur le dos du libéralisme économique qui sera perçu comme une véritable jungle déshumanisante où l'homme n'est qu'un loup pour l'homme et où la liberté n'engendre que l'exploitation en encourageant l'égoïsme et l'assouvissement des bas instincts de domination. Cet individualisme qu'engendre le libéralisme n'est bon qu'à tuer ce qu'il y a de plus grand dans l'homme, son sens de la charité et de l'entraide. Dans les quartiers industrieux, on ne voit plus ces beaux gestes que l'on retrouvait à la campagne: les «bees», les réunions où tous oublient leur intérêt particulier mesquin pour se donner dans la joie à une œuvre altruiste. La lutte au libéralisme ne doit cependant pas mener à un socialisme égalitaire qui conduirait nécessairement à l'abandon des édifiantes et louables traditions de notre bon peuple:

---

1 Nous parlerons indifféremment dans ce chapitre de corporatisme et de coopératisme. Ces deux mouvements procèdent de la même pensée: intégrer à la pensée chrétienne les mouvements de plus en plus influents des Unions américaines athées et du socialisme européen. Le coopératisme se voulait une solution aux problèmes des producteurs agricoles; le corporatisme, une solution aux problèmes ouvriers de l'industrie urbaine.

2 Georges-Henri Lévesque, «La nouvelle chaire de coopération à l'Université Laval», p. 217.

> La socialisation des services médicaux, des hôpitaux, etc.: c'est-à-dire la mort de nos admirables institutions chrétiennes de bienfaisance, l'affaiblissement de la charité privée et du dévouement... [3]

Dans la vie, dirait-on, il y a des choses bonnes et des choses mauvaises. Le socialisme est mauvais. La libre entreprise et le monopole des professions libérales et cléricales sont bons: ne gardent-ils pas le mérite de respecter la parole de l'Evangile qui nous enseigne qu'il y aura toujours des pauvres parmi nous? Et sur qui s'exerceraient la charité des riches et le dévouement des bonnes sœurs si les pauvres disparaissaient? Contre «l'individualisme meurtrier qui a engendré le libéralisme économique»[4] bien sûr! Mais il y a des limites à cette opposition! Il y a des choses qui ne se font pas! Telle semble être la morale un peu simpliste, sur certains points, de Georges-Henri Lévesque.

Le fait est qu'au fond, l'on combat moins le libéralisme que le danger montant de l'influence du socialisme communiste et du syndicalisme international «athée». Partis en chasse contre le matérialisme — en cela les théories de Georges-Henri Lévesque se rattachent à la pensée traditionnelle — les coopératistes réfutent à grands coups de goupillon les préoccupations bassement matérielles des systèmes socialistes, socialisants et socialisateurs. Leur phobie du matérialisme qui fait condamner le marxisme sous toutes ses formes, les conduit en même temps — on ne sait selon quel sens logique — à craindre par-dessus tout les réformes socialistes «la perte de la propriété privée» comme si la «propriété» était un symbole de l'anti-matérialisme. La logique qui les mène à une telle conclusion ressemble fort à celle qui leur fait imaginer la nécessité des pauvres et des défavorisés pour que le sens «charitable» des riches puisse s'exercer. A la peur du matérialisme, à celle de l'étatisation se joint la hantise de l'étatisme dans lequel toutes les libertés individuelles sont embrigadées non pas pour l'accomplissement de leur salut — ce qui est bien — mais pour le service d'un Etat qui, comme en Russie, oublie le bien particulier pour s'adonner à l'édification d'une société qui centralise et oriente toutes les énergies pour le bien de l'Etat — ce qui est mal. Toutes ces craintes encore plus que les malaises sociaux allaient précipiter la pensée québécoise dans le corporatisme.

Quelles que soient les raisons psychologiques, sociales et religieuses qui amènent le corporatisme, l'intention était louable et le moyen gardait une certaine efficacité. Devant la pauvreté quasi universelle du peuple québécois, les collaborateurs de Georges-H.

---

3 Georges-Henri Lévesque, «Socialisme canadien», p. 112.

4 *Ibid.*, p. 93.

Lévesque, plutôt que de parler de résignation, de récompense et de paradis, cherchèrent un remède. La pauvreté avait un grand désavantage, c'est qu'elle éloignait l'individu de son centre de contrôle et de préservation: la paroisse. Elle le précipitait à la ville où il ne devenait pas plus riche mais où il perdait les secours «moraux» du «père» de la paroisse et se laissait aller aux influences néfastes étrangères. La meilleure façon de contrebalancer cet exode, qui de fait durait depuis cent ans, c'était de donner au peuple une prospérité qu'il pouvait acquérir dans son milieu naturel. L'agriculturisme ne faisant plus l'affaire, l'école économique va s'efforcer, par des regroupements, de rendre au peuple le profit que centralisent quelques capitalistes détenteurs de certains monopoles laitiers, forestiers ou industriels. Cette redistribution de richesses, en même temps qu'elle enseigne la collaboration, «la charité» comme dit le père Lévesque, permettrait au peuple de recouvrer une certaine décence matérielle en l'éloignant de la tentation de la ville et de l'exil.

Mais qu'est-ce que le corporatisme sinon un socialisme, honteux de lui-même, qui vient de l'orthodoxie? On découvre qu'il n'y a qu'un moyen de se sauver de la domination du libéralisme économique et c'est de s'unir. «Unissons-nous», disent les corporatistes mais évitons l'embrigadement à la russe et, tout en joignant nos efforts pour à la fois nous libérer et progresser, respectons les «individualités» et évitons de nous subordonner à un ordre qui néglige «les véritables valeurs humaines», les valeurs spirituelles. Il faut «planifier», mais ne tombons pas dans le piège de l'étatisme qui, subordonnant toute l'activité humaine à la volonté de l'état laïque et matériel, néglige l'âme. Libérons l'économie de la mainmise capitaliste, mais n'oublions pas que certaines valeurs, certaines traditions, certaines corporations établies doivent être respectées... et que Dieu de toute façon n'a pas créé les hommes égaux. Seule forme de socialisme acceptable dans une société encore trop proche d'un moyen âge qui se prolonge, le corporatisme avait l'avantage de laisser entrer certaines réformes nécessaires dans un pays où l'économie et l'idéologie prêchées depuis plus de cent ans s'étaient avérées incapables de répondre aux besoins de la société. Mais le corporatisme, au point de vue purement idéologique, est surtout intéressant par le fait qu'il répondait aux exigences de la triple appartenance ou dépendance de la pensée canadienne-française. En s'appuyant sur l'encyclique *Quadragesimo anno,* on montrait le respect que l'on gardait vis-à-vis de l'autorité romaine. En s'inspirant de la pensée catholique française, on satisfaisait au paternalisme culturel français. En se basant sur les études menées par «Les semaines sociales du Canada», on remplissait les exigences des velléités d'originalités régionalistes. Le corporatisme arrivait à point et se mariait intimement aux exigences et aux particularités de la pensée et de la réalité québécoises, à un point tel qu'il fut déclaré d'intérêt national:

> Un front commun corporatiste, c'est une nécessité nationale pour nous, Canadiens français.[5]

décrétait l'éditorial de *L'Action nationale* de décembre 1938.

5 «Editorial, *L'Action nationale, XI*, décembre 1938. Voir aussi sur ce sujet: *Semaines Sociales du Canada, XIVe session*, Ecole sociale populaire, Montréal, 1936; plus particulièrement J.-B. Desrosiers, «La corporation, nature et structure».

Chapitre XI

La vieille garde à l'affût: C.-H. Grignon, F.-A . Savard

Chapitre XI

La vieille garde à l'affût: C.-H. Grignon, F.-A. Savard

Le corporatisme, par delà sa crainte et son incapacité d'aller au fond des choses et des mots, demeurait un effort positif dans le domaine de la réforme socio-économique. Il y avait au moins, d'une façon discrète et implicite, une constatation sinon une acceptation de l'échec de la politique et de l'idéologie traditionnelles. C'était un effort positif qui tentait d'orienter, gauchement, le Québec dans un courant «contemporain»: c'était une certaine forme de socialisme. Parallèlement à cet effort, des voix isolées — mais qui trouveront des oreilles attentives — profitant des malheurs du temps, s'élèveront pour chanter le péan d'un nouveau retour en arrière. Attribuant tous les maux du pays au fait que l'on ait trahi le passé, ces «bardes folkloristes» s'acharneront à jouer les profiteurs de deuils et les conservateurs de musées. Claude-Henri Grignon, fort de son prestige populaire et de sa renommée de pamphlétaire agressif, sera le représentant le plus lourd et le plus buté de cette nouvelle vague réactionnaire. Toute l'industrialisation, toute l'ouverture au monde — elle n'est encore que porte entrouverte — tous les changements ne seront pour lui qu'une façon de trahir les ancêtres, de renier les siens. Vivant encore du passé, tant pécuniairement, avec son roman-feuilleton, que moralement, il ne voit l'avenir québécois que comme une vaste fixation, une continuelle contemplation d'un soi archaïque. Le changement, l'évolution pour lui, c'est une trahison, une perte de l'authenticité:

> Il ne faut pas que le vieux Québec change. C'est à souhaiter plutôt qu'il se fasse plus vieux que jamais, qu'il retourne à son passé comme à une source inépuisable de richesse économique et d'inspiration poétique. [1]

Du passé lui-même, l'auteur d'*Un homme et son péché* ne retient que ce qu'il y a de moins rentable, de plus mesquin et de plus stérile: le

---

1 Valdombre, «D'une culture canadienne-française», p. 540.

«sol» québécois, dont les plus belles récoltes sont les roches qui, comme des dolmens effrités, trônent au milieu des champs maigres et poussiéreux. Malgré les faits, Valdombre s'obstine à trouver, dans le retour à la terre, le salut à tous les maux de la société, qu'ils soient sociaux, économiques ou moraux. Loin de la contamination du monde moderne, tout près de ses sources, réchauffé par les mânes de ses pieux et valeureux pères, le colon canadien-français, restant lui-même, sauvera son être d'une évolution qui serait pour lui une mort certaine:

> Notre survivance reste intimement liée au sol. Le mot «sol» (trois lettres) contient tout le passé, toutes nos traditions, nos mœurs, notre foi et notre langue. Retranchez le sol de notre vie sociale, économique, politique et il n'est point de culture canadienne-française.[2]

Cette culture canadienne-française a besoin d'un véhicule linguistique qui doit lui être particulier. Tant et aussi longtemps qu'on s'efforcera de faire vivre notre caractère singulier dans une langue qui n'est point nôtre, la langue de Molière, nous nous égarerons. Une culture propre à son instrument propre: une langue «différente». Et c'est toute l'apologie du bucolique créole: «Nous avons besoin d'une langue bien à nous, une langue du terroir»[3]. Un rétrécissement des valeurs et de l'être à ce qu'il y a de plus petit et de plus mesquin: la conservation de soi par ses défauts les plus «pittoresques» et un rejet de l'«étrange» comme d'une infection. Toutes choses, que d'une façon symbolique, nous retrouvons chez le célèbre Pierre-Côme Provençal du *Survenant,* dont la condamnation de l'étranger ressemble fort à un rejet d'un monde en pleine mutation:

> Sûrement Didace avait eu une heure malheureuse quand il avait accepté le Survenant, ce chef-d'œuvreux, dans la maison. Rien de bon n'en avait résulté pour la paroisse. Une si belle paroisse que les anciens avaient bâtie avec tant de cœur. Si l'on veut la garder ainsi entre soi, il ne faut pas laisser l'étranger y pénétrer et en faire une risée. Autrement on la voue à sa perte.[4]

Si en 1941, Claude-Henri Grignon peut tenir ses propos sans se couvrir de ridicule, c'est que tout un groupe de personnes de son acabit encourage et diffuse la volonté d'un retour en arrière qu'il prêche comme une condition *sine qua non* de survie. A peine deux ans plus tard, en 1943, Félix-Antoine Savard ne craindra pas lui non

---

2 *Ibid.,* p. 538.

3 Valdombre, *op. cit.,* p. 541.

4 Germaine Guévremont, *Marie Didace,* Montréal, Fides, Nénuphar, 1965, p. 136.

plus de faire l'éloge de cette Eglise qui participa activement à la campagne de colonisation de l'Abitibi. L'urbanisation et l'industrialisation avaient suivi leur cours normal malgré les tirades oratoires des «agriculturistes» de toute robe. Mais lorsque la crise survint, toutes ces voix dans le désert trouvent leur vengeance: la faillite économique des années trente est pour eux l'occasion de crier sur tous les toits: «On vous l'avait bien dit». Qui plus est, pour eux, cette faillite était la preuve même que les tenants du «retour à la terre» avaient raison. Selon une habitude illogique de la logique scolastique, prouver que l'adversaire a tort, c'est se prouver à soi et aux autres que l'on a raison:

> On se résolut enfin à écouter l'Eglise, à entendre, dans la disette, des économistes qu'on avait méprisés dans l'abondance. Et la croisade du retour à la terre fut décrétée.[5]

A la satisfaction de posséder la vérité et au plaisir d'être écouté dans ces temps tristes, Félix-Antoine Savard allait ajouter une note presque inimaginable si l'on se resitue à l'époque terrible des années d'avant-guerre. Au moment où toute la pensée québécoise a la preuve de son échec, alors que la société est une faillite monumentale, que la morale elle-même est d'un primitivisme déconcertant, sauf pour quelques élus dédaigneux, l'auteur de *Menaud* resservira cette vieille soupe du mythe de la supériorité:

> Si nous perdîmes un empire, l'héritage nous fut confié de la civilisation la plus humaine et la plus proche de l'Evangile; la plus pacifique et la plus respectueuse du bien d'autrui.[6]

De ce riche héritage, il ne restait plus grand-chose, si héritage il y eut jamais, qu'un peuple pauvre et misérable à tous les points de vue.

La période des années quarante allait d'ailleurs être dominée par un homme dont l'absence de dimension intellectuelle allait être le premier titre de gloire: Maurice Duplessis. Evitant de penser et préservant le plus possible le peuple de toute activité intelligente, cet homme petit allait faire régner la bêtise pendant plus de vingt ans. Cette responsabilité, il la partagera d'ailleurs avec son parti qui devait camoufler son impuissance politique sous les discours patriotiques enflammés et le bitume routier. Portait aussi sa part de responsabilité toute la pensée traditionnelle qui, pour un chiffon fleurdelysé, quelques pieds de nez au gouvernement fédéral et des subventions ridicules, allait se laisser acheter un silence complice. Il ne faudrait pas

---

5 Félix-Antoine Savard, *L'Abatis*, p. 14.

6 Félix-Antoine Savard, *op. cit.*, p. 31.

oublier non plus dans le partage du butin ce peuple qui se laissait berner si facilement et dont la bêtise et l'ignorance — quelle qu'en soit la cause — furent les grands responsables de cette longue période de grande noirceur. Ce parti, ces intellectuels, ce peuple, tous écoutaient, bouche bée ce premier ministre — qui les représentait fort bien — chantant ces mots inimaginables:

> La province de Québec n'a pas de supérieure au monde! Elle est honnête, consciencieuse, respectueuse des lois et de l'autorité établie. Et sa réputation est bien au-dessus de certaines déclarations dont il ne faut pas tenir compte, mais qu'il faut souligner discrètement... Quand j'ai été invité à l'inauguration du Pavillon de la faculté des sciences à l'université de Sherbrooke, j'en ai ressenti un vif plaisir. Bien que je sois célibataire, j'ai l'impression d'être venu voir un de mes enfants, brillant et prometteur et dont la croissance ajoutera au lustre de la province de Québec...[7]

Toute cette époque en fut une des plus pitoyables au niveau de la pensée officielle. C'était le moment où les communistes faisaient sauter les ponts, où les Anglais d'Ottawa étaient la cause des déficiences économiques et où le bon peuple innocent s'amusait des calembours douteux d'un homme de piètre intelligence mais doué d'un sens opportuniste inégalable. Cependant, des ingénieurs incompétents commettent des erreurs impunies — sur les ponts et ailleurs — en faisant des millions et des politiciens véreux font de leur ignorance un art politique.

> Pendant ce temps, les faits changent sous leurs yeux, et ils n'ont rien vu, et ils n'ont rien fait.[8]

écrira Paul Chamberland quelques années plus tard avec combien de justesse.

---

7 Paroles de Maurice Duplessis lors de l'inauguration de la faculté des Sciences de l'université de Sherbrooke en 1957 et rapportées par *Cité libre*, no 19, janvier 1958, p. 21.

8 Paul Chamberland, «De la damnation à la liberté», p. 56.

Chapitre XII

La mutation: un monde s'éveille au monde

Chapitre XII

La mutation: un monde s'éveille au monde

Pendant que certains ratiocineurs se morfondaient à oublier le monde et l'histoire, d'autres cependant, plus sensibles, sentirent le monde trembler sous leurs pieds. Quelle que fut leur nostalgie d'un passé reposant, quelle que fut leur espérance de changement, ces hommes, conscients à leur façon et leur empan, comprirent qu'il fallait bon gré, mal gré, entrer dans le jeu. La guerre, bouleversant le monde, avait bouleversé aussi le giron calme du Québec. Tout annonçait l'avènement d'un monde nouveau où plus jamais ne reviendrait le confort des serres surchauffées. Définitivement exclue de sa quiétude passée, la société québécoise, malgré quelques efforts tenaces pour l'en empêcher, allait entrer dans un monde nouveau. Les premiers pressentiments des changements inévitables et nécessaires se firent après la guerre et autour des années 1950. Ce fut comme une révélation:

> Ils ont compris soudain que leur petit monde bucolique craquait de toutes ses solives sous la pression formidable du temps qui change.[1]

Les premiers signes avant-coureurs nous viennent de cet André Laurendeau qui avait déjà écrit: «Catholiques: c'est tout dire, tout expliquer»[2]. Il est vrai que cet homme parti de très loin allait être de toute l'école traditionnelle le plus perceptible au changement et le plus disponible à l'évolution. Il sera celui qui dès mil neuf cent quarante-huit prévoyait toutes les luttes idéologiques des années cinquante et soixante. Faisant une autopsie et un bilan du nationalisme, il constate combien celui-ci est impuissant devant la montée du monde moderne. Au capitalisme, il oppose une vertu digne peut-être mais qui a fort peu d'écho chez une population assoiffée de bien-être et de plaisir. A un syndicalisme revendicateur, le nationalisme n'offre rien qu'un sermon

---

1 Gérard Pelletier, *Cité libre*, I, no 2, février 1951.

2 André Laurendeau, «Manifeste», *Le Semeur*, nos 1-2.

sur la grandeur d'être Canadien français... Enfin, aux préoccupations sociales, le nationalisme a préféré l'exaltation un peu boursouflée de valeurs bourgeoises qui ne correspondent en rien aux volontés et aux désirs des ouvriers. Bien conscient de tous ces problèmes, le futur éditorialiste du *Devoir,* l'un des principaux adversaires de Maurice Le Noblet Duplessis, allait prophétiser en juin 1948:

> Le social et le national se présentent actuellement comme s'ils étaient deux ennemis, ou du moins comme si chacun réclamait toute la place. [3]

Cet article de Laurendeau nous amène directement au *Refus global* des amis de Borduas. Cette analyse nous montre aussi que le «refus» était dans l'air et que le «poème» de Borduas pour l'avoir exprimé d'une façon marquante en des mots enflammés était plus l'expression d'un milieu et d'un état d'esprit qu'un point de départ brusque et original. Ce qui n'enlève rien au mérite du peintre: il gardera toujours le mérite de l'expression d'un tournant dans la pensée québécoise. Son manifeste s'arrêtera d'abord à condamner ce «destin durement fixé de la tradition». Le rejet d'un passé fait de négation, d'interdit et de passivité l'oblige à condamner la «tutelle» et l'autoritarisme dominant de l'élite et d'une classe aveugles: «Au diable le goupillon et la tuque»! Leur hégémonie, celle du folklore et de la morale, ne nous a conduits qu'à une impasse. S'ils furent utiles jadis, minimement, ils ont depuis, par leur sclérose et leur étroitesse d'esprit, fait plus de tort que de bien, infiniment plus: «Mille fois ils extorquèrent ce qu'ils donnèrent jadis» [4]. *Le Refus* malgré son titre est d'une inspiration toute tournée vers le mouvement et la vie. Que les fixations pathologiques, que les tabous s'écroulent pour laisser place à un soleil régénérateur. Que «toutes les libertés possibles» s'animent et qu'elles soient disponibles même au prix fort des hautes luttes et de l'angoisse. C'est de ce «sauvage besoin de libération» que l'espoir collectif d'un monde meilleur naîtra. Mais bien que les valeurs changent, bien que l'ouverture au monde se fasse toute grande, la réalité sociale d'un peuple petit numériquement demeure: aussi voit-on revenir chez Borduas l'appel à l'union de toutes les forces disponibles qui nous fait nous ressouvenir d'un certain unaninisme. De même, l'appel à la responsabilité collective qui porte encore le relent du messianisme ne peut être évité: «Un magnifique devoir nous incombe» [5]. Ce devoir est fait d'un dynamisme tourné vers le futur dont l'Utopie, pour être plus moderne, n'est pas sans quelque rapport avec celle de Henri-Raymond Casgrain.

---

3 André Laurendeau, «Conclusions très provisoires», p. 424.

4 Paul-Emile Borduas, *Refus global.*

5 Paul-Emile Borduas, *Refus global.*

Le mouvement en avant est désormais irréversible. Un clerc jésuite participera lui-même à l'expression de la liberté. Ernest Gagnon dans *L'Homme d'ici,* en mil neuf cent cinquante-trois, lancera tout un projet visant à relever l'homme québécois de sa chute dans l'insignifiance. Son homme à lui aura comme base non plus l'«absolu» mais le «relatif». Une relativité qui place l'homme en une «genèse» dont l'élan se fait vers l'avenir, vers le neuf. Son rejet de la «soumission morbide» et la condamnation de la «passivité» lui fait rencontrer la dynamique de Borduas qu'il baptise d'un déterminisme théologique. Celui-ci cependant est plus un appel au mouvement et à l'effort qu'une paisible contemplation de la vérité. La condamnation qu'il lance sur la société traditionnelle a le réalisme et la sévérité de Lord Durham: «Un groupement d'excellents seconds ternes et obséquieux»[6], dira-t-il condamnant toute la philosophie qui avait ravalé tout un peuple à l'impuissance. Dans un élan qui garde la crainte du matérialisme, il provoquera la quête du quotidien que l'on avait si souvent oublié dans le retour au passé ou dans le rêve de l'avenir, demandant aux intellectuels et aux éducateurs de donner vie au peuple:

> Il faut lui apprendre que ses forces de croissance ne résideront ni dans la solidité de son dollar, ni dans le sous-sol de l'Ungava, ni même dans un passé mort. Ses richesses d'adulte sont dans le présent de sa vie quotidienne.[7]

Par delà le paternalisme latent de cette recommandation, nous pouvons voir l'esprit qui présidera à l'effort de «rattrapage» de l'équipe de *Cité libre.* Comme Laurendeau, comme Borduas, comme Hertel, Ernest Gagnon représente bien la prise de conscience que tout doit changer chez un peuple qui ne peut ou ne veut plus se contenter de bonnes paroles.

---

6 Ernest Gagnon, *L'Homme d'ici,* p. 27.

7 *Ibid.,* p. 25.

Chapitre XIII

La liberté d'abord: **Cité libre**

Chapitre XIII

La liberté d'abord: Cité libre

La guerre avait amené beaucoup d'adultes à regarder vers l'extérieur, à s'y rendre quelques fois pour en revenir troublés par l'équilibre et l'évolution du monde québécois. Les adultes transmettaient — avec beaucoup de nuances — leurs interrogations à toute une génération qui saurait mener plus loin leurs besoins d'ouverture sociale et intellectuelle. Les adultes ne pouvaient rien leur donner d'autre que «leur inquiétude», selon le mot de François Hertel dans *L'Action nationale* de 1936. C'est pourquoi les jeunes gens qui sortaient des collèges classiques après la guerre allaient pouvoir dire dans *Cité libre:* «Nous sommes une génération sans maître»[1]. Pour eux, personne n'avait jusqu'alors compris le problème de la société dans toute sa réalité. Aucune autre génération non plus n'avait été conduite par les circonstances nationales et internationales à une situation de fait aussi complexe, à des événements aussi marquants. Et tout cela les menait aux mêmes conclusions: faire table rase de tout ce qui s'était dit, de tout ce qui s'était fait. Le passé intellectuel et politique s'était avéré d'abord inapte à aborder la réalité et, naturellement incapable de rendre cette réalité viable aux hommes. Ceux qui désiraient un avancement, un progrès dans quelque ordre que ce fût, se devaient de le rejeter. Fils de la première guerre, élevés pendant la crise, conscients du deuxième conflit mondial, craignant la prochaine catastrophe atomique, désirant l'éviter aussi, les Québécois qui ont trente ans en 1950 ne voient qu'une solution: le redressement du social par l'édification d'un ordre qui empêcherait les hommes de s'entre-tuer tout en ayant le minimum vital pour se développer physiquement et intellectuellement. «Génération sans maître», puisque, au long traité philosophique expliquant rationnellement pourquoi une telle situation existe, ils préféreront se préoccuper plutôt des mesures à prendre pour qu'une telle situation ne se répète pas à l'infini:

---

1 Gérard Pelletier, «Cité libre confesse ses intentions», *Cité libre, I,* no 2, février 1951, p. 3.

> Ma génération est la génération de l'immédiat, qu'elle a d'ailleurs admirablement compris, beaucoup mieux que ne l'avait fait la génération précédente. Pelletier, Marchand, Trudeau ont analysé une société dont ils voulaient qu'elle prît conscience de son temps.[2]

Ce témoignage de Pierre Vadeboncœur définit l'objectif principal de *Cité libre:* abandonner les mythes, regarder la réalité, la transformer selon des objectifs précis. Tout cela dans un souci de pragmatisme et de rentabilité d'abord qui annonce les grands compromis nécessaires à la réalisation des objectifs tout en présupposant une obstination opiniâtre à combattre la pensée qui, pour les «gauchistes» de 1950, avait enlisé le Québec dans un marécage insalubre.

Le rejet du nationalisme par toute cette génération était un prérequis nécessaire à toute réflexion comme à toute nation «intelligente». Les doctrines «nationales» du passé se complaisaient dans un idéalisme social qui était tellement étranger aux faits que rien ne pouvait le contredire puisque toutes les explications apportées pouvaient suffire à une pensée aussi abstraite. En plus de reprocher à l'école nationaliste cette sécurisante façon d'oublier le réel, les tenants des politiques «réalistes et fonctionnelles» jugeront enfantines et stériles les attitudes défensives des penseurs et des politiciens traditionnels. Grâce aux silences, et quelquefois aux encouragements, des principaux intellectuels, le gouvernement du Québec s'occupera uniquement de se défendre des empiètements des Anglais sur les «chasses gardées» provinciales. Il suffira pour longtemps aux intellectuels québécois de jouer les cerbères étroits pour croire qu'ils s'occupent ardemment de la survie et du progrès de la société. Mais pendant ce temps-là, la vie continue. Le peuple — qui n'a pas le temps ni le pain des intellectuels — doit vivre dans un monde où personne ne s'occupe de ses préoccupations et besoins immédiats. Le syndicalisme entre à peine chez les ouvriers que tous les «nationalistes» se préoccupent de préserver le bon peuple contre les dangers de l'extérieur et que tous les «penseurs» s'acharnent à le sauver du socialisme «déshumanisant» et «matérialiste». Dans son monde idéal, la pensée traditionnelle, à l'abri des vents terribles qui secouent le peuple et le monde prolétarien, se contentera de demi-mesures et d'une obstruction négative en refusant tous les mouvements et toutes les pensées progressistes. La condamnation, en 1933, du C.C.F. par Georges-H. Lévesque et les raisons[3] qu'il apporta illustrent fort bien la pensée traditionnelle sur ce

---

2 Pierre Vadeboncœur, *Parti pris,* I, no 1, octobre 1963, p. 50.

3 Georges-Henri Lévesque, «Socialisme canadien»: «La C.C.F. met en jeu les intérêts religieux et nationaux...», p. 91; «Prépondérance indue aux valeurs matérielles», p. 113; «Précurseurs du communisme», p. 92; «Emissaires de Moscou», p. 92; etc.

point. En refusant le nationalisme, c'était toute cette façon négative de voir les choses que la nouvelle génération refusait:

> Nous étions si convaincus de l'esprit réactionnaire et de l'apathie du nationalisme canadien-français que nous pensions volontiers qu'il n'y aurait de libération que dans le domaine économico-social.[4]

Même si nous ne sommes plus au XIX siècle, il est plutôt difficile dans le Québec des années cinquante d'exprimer une idée qui n'est pas «généralement admise dans les milieux dirigeants». *Cité libre* n'a pas encore franchi le cap de sa première année qu'un vent d'obstruction s'élève et qu'une vague de muselière monte. Depuis toujours, on avait condamné l'«excessive liberté de parole». Etait naturellement excessif tout ce qui n'était pas approuvé, tout ce qui ne se moulait pas dans les idées admises. A la phobie de la franc-maçonnerie — il faut s'adapter — succède celle du communisme: tous ceux qui veulent des réformes en sont accusés. Et on sait prendre tous les moyens pour réprimer la pensée qui veut rénover. «Quelqu'un a tenté de me faire perdre mon emploi, il n'y a pas dix ans, parce que je collaborais à *Cité libre*», écrit Pierre Vadeboncœur dans *La ligne du risque.* Devant ces difficultés non seulement de faire mais aussi de dire, s'imposera la lutte pour la première condition du progrès: la possibilité pour un individu d'exprimer ses idées sans être passible de répressions de toute sortes. La liberté sous toutes ses formes deviendra la première préoccupation de tous. La volonté d'analyser les événements, de critiquer les politiques nationales, de condamner les erreurs et les faux-fuyants des *establishments* de tout acabit sera présente dans toutes les expressions de gauche. Et la lutte de dix ans contre le régime de Duplessis cristallise toute cette volonté. Tout comme la chute du régime a été perçue comme l'entrée du Québec dans l'ère de la liberté. La liberté que l'on réclame à *Cité libre* et dans tous les milieux ambiants des années cinquante est capitale. Sans elle, on ne peut critiquer aucune des erreurs présentes et passées. Sans elle, on ne peut promouvoir aucune idée nouvelle. Sans elle, on ne peut construire rien de positif. Sans elle, l'avenir est condamné à répéter un passé que l'on ne peut accepter. Qu'il s'agisse des questions morales ou sociales, des problèmes politiques ou économiques, d'art ou d'éducation, il existe une série d'interdits et de tabous qui exigent un silence qui tourne à la complaisance, à la complicité et à la crainte de la vérité. Comme tous ces domaines ont besoin d'être remaniés, rénovés ou renversés, le principe de la liberté doit être accepté afin de rendre possible la levée des obstructions qui viennent de toutes les sphères de l'environnement.

---

4 Pierre Vadeboncœur, *La ligne du risque*, p. 208.

C'est pourquoi, au fond, le mouvement «libertaire» tournera autour d'idées simples... mais dont l'importance sera déterminante. D'abord briser le mur solide d'une unanimité dont la seule force est le silence et l'inertie. Ce front commun est en dernier lieu une entente tacite qui permet à tout le monde de se satisfaire de sa médiocrité et d'empêcher les autres de troubler cette tranquillité: Feu l'unanimité» [5], pouvait s'exclamer, avec quel soulagement, Gérard Pelletier en 1960. Ce mur percé, on voulait aussi changer tout l'esprit intellectuel québécois. Si le nationalisme se contentait, comme une vierge timide, de dire non, l'esprit nouveau voulait dépasser ce négativisme tant en politique et en morale qu'en éducation et en linguistique afin d'élaborer des programmes positifs où la mise en action d'un plan établi devait remplacer le non virginal et fort peu créateur. Dépasser l'infantilisme d'hier et d'aujourd'hui — pour accéder à la maturité qui construit l'avenir par l'action dans le présent — était pour la génération de *Cité libre* la seule façon de bâtir un monde où l'homme se nourrirait de pain et non d'illusion. Lorsque Pierre Elliott Trudeau s'écrie dès le premier numéro: «Froidement, soyons intelligents!», ce qu'il veut, et toute l'équipe avec lui, c'est que l'on se débarrasse d'une mentalité qui fait vivre toute la société québécoise aux dépens du monde, en parasite, parce que jamais elle n'a apporté quoi que ce soit de positif à elle-même et aux autres. Ce «dégueulasse peuple de maîtres-chanteurs» [6] doit se réveiller pour cesser d'être entretenu dans sa «réserve». Que des hommes se lèvent qui auront la force de «concevoir audacieusement cette politique fonctionnelle par quoi seule peut s'ériger une cité libre, faite aux dimensions des supervivants que nous voulons être» [7]. Ces hommes sont ceux de l'action qui loin des illusions savent tout l'effort qu'il faut pour construire un monde à la mesure de l'homme moderne:

> Le défi qui s'offre à nous consiste à définir et à mettre en œuvre une politique faite d'objectifs précis, réalisables et fondés sur les attributs universels de l'homme. [8]

Que *Cité libre* dans un manifeste de 1964 ait le besoin de réitérer les objectifs décrits par Pierre Elliott Trudeau quatorze ans plus tôt montre quelles difficultés ont rencontrées ces jeunes «collégiens» dans leur volonté de redresser le monde québécois.

---

5 Gérard Pelletier, *Cité libre*, octobre 1960.

6 Pierre Elliott Trudeau, «Pour une politique fonctionnelle», p. 24.

7 *Ibid.*, p. 24.

8 ---------, «Pour une politique fonctionnelle», *Cité libre, XV*, no 67, mai 1964, p. 17.

Chapitre XIV

La liberté intellectuelle: la revue **Liberté**

Chapitre XIV

La liberté intellectuelle: la revue **Liberté**

Pris par les problèmes et les politiques d'un renouveau social, centrés sur la récupération économique et le redressement politique, les écrivains et penseurs de *Cité libre* étaient tout entiers dévoués aux droits de l'homme. Un nationalisme mesquin leur avait appris jusqu'à quel point l'humain pouvait être réduit et détruit par une doctrine simpliste. Pendant la décennie des années cinquante, les idées «universelles» et «humanistes» des intellectuels «déracinés» s'étaient avérées nécessaires à un nettoyage de l'esprit. Très tôt cependant, surtout chez les plus jeunes, on se rend compte que le Monde dont on parle et auquel on veut rattacher le Québécois est un peu loin de lui-même. S'il a l'avantage de reléguer aux oubliettes des objectifs trop mesquins, il a aussi le défaut de désincarner l'individu en lui faisant rejeter tout particularisme le rattachant au coin de terre où il est né et dont il ne peut se départir sans briser son équilibre émotif et même culturel. Pour la génération intellectuelle de la fin des années cinquante, les objectifs désintéressés et louables de leurs prédécesseurs «citoyens du monde», négligeaient la relation nécessaire de l'être culturel et politique avec son environnement immédiat. *Cité libre* regardait l'Homme universel, en oubliant de le situer dans «son jardin». Les jeunes de *Liberté 59* ne voudront voir l'Homme qu'après avoir compris le jardin dans lequel il vit. Dorénavant, refusant d'être citoyens du monde, les jeunes assoiffés eux aussi de liberté, tourneront le regard vers la société dont ils sont le produit et qu'ils ne sauraient oublier sans un déséquilibre profond.

La prise de conscience de l'appartenance à un milieu dont tout l'être culturel est tributaire se fait d'abord par la prise de conscience de «n'être pas comme les autres». Le Québécois intellectuel qui a trente ans en 1960 se perçoit un peu comme un mal de dents ou comme une bête de cirque intéressante. Ce n'est pas le fait d'être exclu, d'être méprisé, dénigré, d'être victime d'un ostracisme quelconque qui lui fait prendre conscience de son être distinct; c'est plutôt celui de ne pouvoir s'identifier avec le contexte nord-américain:

> Je parle français en Amérique, c'est la grande connerie, la faute, je serais le fils putatif des Folies-Bergères et du Paris by Night que la Salvation Army n'en serait pas plus émue.[1]

Le phénomène linguistique sera le point sensible qui permettra à tout ce courant d'idées de prendre conscience de son «anomalie». Cette anomalie, d'abord saisie au niveau individuel, le débordera très tôt pour être perçue au niveau collectif. Ainsi, si la revue *Liberté* dans ses premiers numéros se défend d'être une revue politique, sa volonté de faire l'«inventaire de notre milieu»[2] conduira les rédacteurs, lentement mais irrémédiablement, vers une prise de conscience politique. Puisque l'équilibre et la maturité de l'individu sont tributaires de l'équilibre et de la maturité de l'environnement collectif culturel, le premier geste, le premier champ d'action doit porter d'abord sur cet environnement. Libérer la collectivité de toutes les amarres qui la figent sera libérer l'individu et le rendre apte et digne d'accéder à la société des hommes. Toutes les énergies de la revue, cette prise de conscience opérée, seront centrées sur l'obligation de libérer la collectivité de tous ses complexes qui la font se complaire dans un universalisme malsain et inapte à la guérir de son malaise morbide. Non que l'universel soit rejeté, loin de là, il est perçu comme la grande Valeur... mais que l'on ne peut atteindre que par le moyen de la collectivité à laquelle l'histoire nous a fixés:

> Le Canadien français est, au sens propre et figuré, un agent double. Il s'abolit dans l'«excentricité», et, fatigué, désire atteindre au nirvâna politique par voie de dissolution. Le Canadien français refuse son centre de gravité, cherche désespérement ailleurs un centre et erre dans tous les labyrinthes qui s'offrent à lui. Ni chassé, ni persécuté, il distance pourtant sans cesse son pays dans un exotisme qui ne le comble jamais. Le mal du pays est à la fois besoin et refus d'une culture-matrice. Tous ces élans de transcendance vers les grands ensembles politiques, religieux ou cosmologiques ne remplaceront jamais l'enracinement; complémentaires, ils enrichiraient; seuls, ces élans font du Canadien français une «personne déplacée»[3]

La prise de conscience «d'être distincts» avait conduit à la nécessité de l'identification à un milieu donné. Ce milieu cependant dans son état présent était inapte à satisfaire les exigences de ceux qui voulaient — parce qu'ils étaient forcés psychologiquement — y puiser leur force et

---

1 Jacques Godbout, *Le couteau sur la table,* Paris, Le Seuil, 1965, p. 71.

2 ---------, «Présentation», *Liberté, I,* no 1, janv.-fév. 1959, p. 1.

3 Hubert Aquin, «La fatigue culturelle du Canada français», p. 320.

leur inspiration. Ce milieu, le même dont parlait *Cité libre,* était esclave de tout. Aussi le premier mot de la réforme sera celui de *Liberté.* Le mot était à la mode, dira-t-on! Le mot moins sans doute que la réalité qui le commandait:

> Le mot *liberté* s'est imposé avec une telle force et une telle urgence que toutes les autres suggestions paraissaient futiles.[4]

La liberté dont on parlera de plus en plus sera la liberté culturelle: cette possibilité pour un groupement donné de vivre quotidiennement de ses propres valeurs et dans sa manière particulière. Comme le véhicule culturel est la langue, il faut faire en sorte que l'on puisse en tout lieu et en toute circonstance se servir de cette langue pour rire, créer, manger. Mais comme dans le milieu québécois la langue culturelle d'un groupe majoritaire est reléguée au rang folklorique, il faut, pour lui donner droit de cité, la libérer de l'esclavage politique et économique où la situation actuelle la maintient. Le plus vite possible «en finir avec ce statut de putains culturelles acceptant avec résignation le viol quotidien du majoritaire»[5]. La langue libérée, c'est toute une collectivité qui retrouvera sa dignité et un véhicule où son expression libre transmettra son existence et régénérera de son sang vivifiant tout un peuple anémique. Sans illusions cependant. On sait que la liberté culturelle ne s'acquiert que par la liberté économique d'où vient la liberté politique. C'est pourquoi l'engagement et l'action politiques ne sont point des accidents mais la suite logique et réfléchie d'une volonté de vivre dignement et avec fierté son appartenance culturelle. La politique devient alors l'art de mettre en pratique des rêves que l'on veut «réalités». Et ce, pour que:

> Nous ne devenions pas une génération encore plus aigrie que celle qui nous a précédés, une génération aux aspirations cassées comme des vitres trop fragiles, une génération qui ne reconnaîtrait plus dans ses descendants, les hommes dont elle avait rêvé, mais des bâtards qui prendront leur esclavage culturel pour la plus haute des libertés.[6]

S'il faut libérer la collectivité des contraintes extérieures, il faut aussi la libérer des contraintes intérieures. Elles sont multiples et viennent toutes des tabous traditionnels qui favorisent l'acceptation fataliste du sort qui échoit à l'individu. Cette façon de voir est pour beaucoup dans l'échec de la civilisation française d'Amérique. Le messianisme en mettant tout entre les mains d'une providence, dont on se fatiguait d'attendre

---

4 Hubert Aquin, *Liberté,* «Présentation», no 1, janvier-février 1959, p. 2.

5 Yves Préfontaine, «Parti pris», p. 294.

6 *Ibid.,* p. 298.

les résultats grandioses, avait entraîné la démission de l'individu qui, croyant à l'action divine, avait fini par croire que rien ne pouvait résulter de son action propre. Il fallait naturellement libérer la collectivité de cette façon de voir. Ces visions chimériques avaient été transmises pendant des générations par «une éducation dogmatique» dirigée par les clercs. Il fallait dans un premier effort vers la liberté permettre aux enfants nouveaux d'échapper à cette influence nocive en leur donnant la possibilité de recevoir une éducation morale et civile plus propice à la construction de la cité «laïque» de demain. Le mouvement laïque qui réunissait tant les militants de *Cité libre* que ceux de *Liberté* entreprit cette libération morale de l'intérieur. C'était pour eux la meilleure façon de mettre un terme aux aliénations culturelles et économiques que transmettait, de génération en génération, le système scolaire et éducatif traditionnel. Le Ministère de l'Education — créé au prix de quelles polémiques — et le Rapport Parent sont au fond le fruit de cette volonté de donner au Québec un système d'éducation qui ne soit pas une entreprise d'aliénation collective mais un levier qui permettra à l'individu de rendre la collectivité acceptable et fonctionnelle pour les individus qui en font partie.

Chapitre XV

La dialectique révolutionnaire

Chapitre XV

La dialectique révolutionnaire

Dans l'effervescence des années soixante, «tout devenait possible au Québec et même la révolution» [1]. Ce mot de Pierre Elliott Trudeau nous montre bien le climat qui régnait. Après avoir traversé différentes tutelles, toutes centrées sur une politique de muselière, l'ère de la liberté permettait l'entrée en «fonction» de toutes les forces: surtout celle de la violence, qui avait reçu le plus de répression. Le déblocage de la liberté d'expression qui avait eu sa répercussion sur plusieurs facteurs politiques et économiques et qui avait cristallisé les efforts des revues *Cité libre* et *Liberté* devait suivre son cours jusqu'au bout, soit jusqu'à la négation de la liberté elle-même. Une liberté qui se nie est une liberté qui a fait le tour de ses possibilités. C'est pourquoi le mouvement et la revue *Parti pris* sont l'aboutissement normal des mouvements de libération intellectuelle des années cinquante et soixante. S'il en est l'aboutissement, il en est aussi la négation. Pour les partipristes, l'expérience de la liberté a assez duré puisque la liberté au Québec n'est jamais que la liberté des autres. Aussi doit-on rejeter — dans un fondamental souci de libération — cette «liberté» traditionnelle qui a rendu tout un peuple soumis à des impératifs étrangers à ses besoins et à ses aspirations réelles. Le «parti pris» du peuple sera le souci de la revue marxiste de 1963. *Cité libre* avait voulu libérer le peuple de la petitesse dans laquelle le nationalisme et la pensée traditionnelle l'avaient enlisé et ce, en se donnant des objectifs qui allaient permettre à la société d'accéder au monde moderne. Ainsi *Cité libre* rejetait les «défauts» de la nation afin de la faire progresser. Pour *Parti pris,* ce sera, aux niveaux du procédé dialectique et de la marche à suivre, la méthode inverse. Il s'agira d'abord de s'identifier à la société, de la comprendre de l'intérieur avant de passer aux grandes réformes. C'est de là que naîtra la véritable opposition du national et du social dont avait parlé Laurendeau en 1948.

---

1 Pierre Elliott Trudeau, *Le fédéralisme et la société canadienne-française,* p. 221.

L'universalisme de *Cité libre* et l'éclectisme de *Liberté* avaient, par-delà certaines prises de positions divergentes, apporté le même résultat: cultiver un élitisme de mauvais aloi qui sera pour *Parti pris* une aliénation pathologique à la réalité et à l'être québécois. L'homme universel dont on n'avait cessé de faire l'éloge, considéré comme une étape trop distante et comme un moyen inefficace, sera remplacé par la quête de l'homme d'ici et de maintenant que l'on nommera l'homme national. Encore une fois, c'est le moyen qui est différent. Les préoccupations si chères aux membres de *Cité libre* ne sont pas abandonnées: elles seront aussi celles de la génération «révolutionnaire». Et lorsque dans son premier numéro, *Parti pris* se donne comme objectif de faire du Québec «un état libre, laïque et socialiste», nous ne sommes pas très loin des préoccupations de P.E. Trudeau ou de G. Pelletier. L'Homme, avec un grand H, est devenu l'homme québécois: là est la seule différence. La nécessité de la révolution sociale est aussi importante pour les militants de *Cité libre* que pour ceux de *Parti pris.* Pour ces derniers cependant, seule une révolution qui apporterait une solution au problème global québécois serait à retenir, tout le reste n'étant que faux-fuyant ou irréalisme. En effet, pour les marxistes de *Parti pris,* distinguer le social du national est une aberration: c'est séparer l'«homme universel» de l'une de ses composantes vitales, l'appartenance à son milieu immédiat. Ainsi nous accédons à la triple dimension de la perspective partipriste. D'abord la connaissance de l'identité collective sans laquelle toute réforme est impossible ou si abstraite qu'elle perd pied avec la réalité à transformer. Ensuite la reconnaissance d'un groupe ethnique et économique aux exigences et aux aspirations distinctes, de telle sorte — et nous touchons à la troisième dimension — que toute réforme sociale qui ignorerait le fait national serait handicapée d'un élément tellement important qu'elle serait inapte à redresser les tares réelles de la société. A «la volonté irréductible de revendiquer notre être» s'ajoutait «l'alliance du souci national et du souci social»[2]. Il nous devient ainsi plus facile de comprendre comment le marxisme de *Parti pris* peut faire bon ménage avec son nationalisme. La connaissance de l'être québécois nous amène à constater que c'est toute la nation qui est «prolétarisée» au Québec. Libérer le prolétariat, c'est nécessairement libérer la nation. Le nationalisme ici n'est qu'«accidentel». Il n'est pas prioritaire puisqu'il n'est là que par sa rencontre *fortuite* avec le phénomène d'une classe exploitée, mais une classe qui a une dimension nationale. La marque distinctive de *Parti pris* est celle d'avoir compris que la collectivité tout entière est «exploitée» et qu'on ne peut libérer l'individu qu'en libérant cette collectivité dont il fait partie.

---

2 André Major, «Grandeur et misère de la jeunesse».

Avant de parler de libération, avant de parler de révolution, il faut connaître le milieu dans lequel on vit et que l'on veut transformer. Car c'est le milieu lui-même qui commande ces transformations. Tout *Parti pris* — on peut l'apparenter en ce sens à *L'Action française* de Lionel Groulx — sera centré sur cette connaissance fondamentale de la société québécoise. Dès le début l'état pathologique de cette société apparaît aux membres de *Parti pris* comme le point de départ et la cause de tous ses maux. Le monde dans lequel les Québecois vivent est un monde aliéné et aliénant. Les puissances économiques sont tout entières aux mains d'un capitalisme étranger, prochain et lointain. Tributaire des besoins de l'étranger, le Québec module son être non sur ses propres caractéristiques, mais sur celles, fluctuantes et inconnues, d'intérêts lointains et incompris. Le pouvoir politique qui sert ces intérêts représente bien un peuple qui n'a le droit de vivre qu'en autant qu'il fasse vivre les autres. Aucune loi, aucune mesure du gouvernement n'a comme point de départ la réalité québécoise, mais toujours une réalité extérieure qui a besoin de la soumission des Québécois. Et le gouvernement provincial surtout a pour fonction d'assurer cette soumission. Aliénation sociale aussi: le politique et l'économique répondant à des exigences étrangères, les seules mesures sociales qu'ils peuvent engendrer sont de l'ordre du parasitisme: organiser les tables d'hôtes afin qu'il y ait le plus de miettes possible qui tombent dans la gueule affamée de ce mendiant qu'est le prolétariat québécois. De cette triple aliénation découle tout un état d'esprit qui n'a rien de surprenant. L'ennui de vivre dans un milieu qui n'a de sens qu'en autant qu'il se rejette dans la réalisation du projet des autres, amène à court terme une apathie généralisée. Ne comprenant pas ce pourquoi il «travaille», le Québécois finit par «se ficher» passablement de ce qu'il fait. N'ayant aucun intérêt dans une société qui n'est pas faite à sa mesure, l'homme québécois abandonne tout et laisse tout entre les mains des autres. Le problème des déficiences du peuple indigène est d'abord dans l'aliénation de ses dirigeants et de lui-même à ses propres besoins et à sa propre réalité. Pour lui redonner conscience de son entité, il faut d'abord le libérer des forces extérieures, causes d'une aliénation qui dégénère très tôt en une aboulie généralisée: qui n'est pas le mal lui-même — c'était la position de *Cité libre* — mais uniquement la conséquence du mal. *Parti pris* veut par son action s'attaquer à la cause réelle du mal avant de s'attaquer au mal: celui-ci se guérissant par surcroît, la cause disparue. C'est en prenant conscience de la servilité totale d'un peuple à des impératifs étrangers que *Parti pris* comprendra la singularité de la situation sociale: toute une société au service d'intérêts qui lui sont extérieurs, voilà la vraie particularité. Ce mal «social» qui est à la grandeur d'une nation commande un remède national qui sera «la révolution nationale»: ce qui est totalement différent du nationalisme.

Connaître le mal, c'est presque le guérir. Le problème, c'est que le mal a toujours été fort mal identifié. Comme c'est toute la société qui souffre d'aliénation, on ne peut attendre d'aucun dirigeant, d'aucune élite en place le mouvement qui libérerait vraiment le peuple des malaises dont il souffre. Aussi, n'est-il qu'un moyen efficace: la révolution. Cette révolution aurait pour but d'abord de briser le point de départ du malaise: elle éclipserait les dirigeants autochtones soumis entièrement à ces intérêts étrangers dont ils rendent possibles les actions «dénaturées». Ensuite elle libérerait le sol québécois de cette domination: ce qui n'est guère compliqué puisque les «collaborateurs» liquidés, les dominateurs réels perdent le pouvoir qu'ils ne peuvent conserver qu'en empruntant le visage de l'indigène par l'intermédiaire des rois-nègres complices. Enfin cette révolution redonnerait au peuple ses véritables valeurs en lui permettant de travailler pour son propre progrès, son propre avancement. Le processus de la vie pourrait suivre alors son cours normal et retrouver son équilibre et son dynamisme. Le Québécois pourrait enfin oublier ou dépasser ce nationalisme qu'il traînait comme un malaise pour se retrouver dans l'homme universel après s'être retrouvé lui-même. La révolution «nationale» de *Parti pris* n'était au fond qu'une libération du nationalisme par la libération de la nation. Et la nation devenue libre peut ensuite accéder à d'autres valeurs:

> Il faut assumer notre réalité et retrouver nos racines au cœur même de cette culture que nous voulons dépasser, nous voir tels que nous sommes pour mieux nous changer. [3]

Par delà tout jugement de valeur, l'intérêt du courant d'idées partipriste fut de refuser tout embrigadement avant de bien connaître l'individu qu'on voulait transformer. *Parti pris* dans sa pensée et dans son action demeura toujours centré sur «l'épanouissement de la société québécoise selon les besoins de la vie quotidienne de ses membres et de ses groupes» [4], comme l'explique l'un de ses principaux théoriciens, Paul Chamberland. Mais la fonction et le mérite de *Parti pris* furent aussi d'ordre linguistique. Tout le vocabulaire marxiste, grâce à la revue, fit son entrée au Québec où la «chose socialiste» fut apprivoisée par le «mot». A cela s'ajoute aussi la prise de conscience de l'affinité de la réalité québécoise avec les nationalismes socialistes africains et sud-américains. Cette apparition du vocabulaire et des affinités sociales était d'une grande importance. Par le mot, la société québécoise a apprivoisé la réalité révolutionnaire de telle sorte

---

3 Pierre Maheu, «Le dieu canadien-français contre l'homme québécois», p. 56.

4 Paul Chamberland, «Aliénation culturelle et révolution nationale», p. 14.

que des hommes comme Rumilly ou R. Arès ne pouvaient plus écrire un mot sans provoquer l'hilarité des jeunes et des moins vieux. Même un Claude Ryan, même un Gérard Pelletier virent leur vocabulaire et certaines attitudes intellectuelles transformées par le style de *Parti pris:*

> Deux ans après sa parution, *Parti pris* s'était déjà fait voler son vocabulaire, qu'on retrouve encore aujourd'hui sur cinq colonnes dans *La Presse.* Les idées de *Parti pris* ne sont ni admises, ni au programme de ceux qui veulent le pouvoir, mais elles font partie du paysage et tous se doivent définir par rapport à elles. *Parti pris* a créé des points de repère intellectuels et donné un vocabulaire. Ce qui est fait est fait.[5]

Aux yeux des puristes, c'est sans doute un piètre résultat pour une revue marxiste que de n'avoir réussi qu'une révolution verbale. On pourrait même par là apparenter *Parti pris,* encore une fois, aux «rhétoriqueurs» de *L'Action française* et tout comme aux rédacteurs de cette revue, reprocher aux militants marxistes de n'avoir jamais su passer à l'action. Mais outre que certains membres de *Parti pris* surent poser des gestes déterminés et conséquents à leur engagement, il ne faut pas oublier qu'il y eut aussi une alliance ouverte et déclarée entre *Parti pris* et le F.L.Q. Que les idées de *Parti pris* ne se soient point incarnées dans une révolution véritable, à dimension plus ou moins catastrophique, dépend moins de ses membres que de la société qui ne voulait pas ou n'était pas préparée à une telle action. D'autres allaient venir qui, forts de l'initiation linguistique de *Parti pris* et de son œuvre de déblocage révolutionnaire, reprendraient le fardeau de la révolution.

---

5 Jacques Godbout, *Parti pris,* 5, no 8, été 1968, p. 43.

Conclusion

Pour une suite idéologique

Un bref regard sur les véhicules de pensée au Québec, depuis 1965, nous laisse un peu perplexe sur la vie «idéologique» de la société. *Parti pris,* après deux ans d'essoufflement, s'éteint à l'automne 1968. A la même époque, *Cité libre* jette ses derniers soubresauts en des *Cahiers* où sa mort se consomme par les médiocres et peu honorables *Lettres aux nationalistes* de Jean Pellerin. *Liberté* suit irrémédiablement une pente qui la mène directement à la littérature, exclusivement; avec de temps en temps un sursaut humoristique dont *Le dictionnaire politique* est le dernier exemple. Il reste bien *L'Action nationale,* tombée aux mains d'une réaction dont l'influence n'a plus cours que dans quelques rayons ignorés des bibliothèques de paroisses... ou d'universités. Aucune revue qui aurait cristallisé autour d'elle les penseurs québécois, n'a pris la relève de *Parti pris.* La pensée québécoise semble diffuse et n'est plus, souvent, que le fruit d'une réflexion isolée. Parallèlement à cette désescalade, un autre phénomène, qui explique peut-être le premier, se produit: l'engagement de plus en plus explicite de l'*intelligentsia* québécoise ainsi que l'apparition de plus en plus fréquente de l'action politique ou sociale. Du premier F.L.Q., des premières bombes, jusqu'à l'action toute proche du Mouvement Souveraineté-Association (devenu depuis Le Parti Québécois), en passant par le bond prodigieux dans la politique active des Marchand, Trudeau, Pelletier, une constante semble se dessiner: une volonté d'action réunissant tellement d'énergies qu'elle relègue au second plan le désir d'expression. C'est en quelque sorte, le verbe qui se fait acte, la rhétorique qui se fait geste.

Il est aussi très intéressant de constater que trois hommes, qui sont parmi les intellectuels les plus connus et dont les écrits sont les plus lus, Charles Gagnon, Pierre Vallières et René Lévesque, soient de ceux dont les écrits sont pour la plupart des œuvres qui expliquent et justifient leur action plus qu'elles ne la prêchent, comme si chez eux le geste avait précédé la parole. D'ailleurs, au niveau des idées, celles qui sont actuellement les plus vivantes sont en grande partie orientées vers la révolution: suite logique du mouvement de *Parti pris.* Cela n'a rien d'étonnant et s'inscrit dans le déroulement normal de l'évolution de la pensée québécoise. Lionel Groulx lui-même ne l'annonçait-il pas lorsque, dans *L'Action française* de 1917, il lançait cet appel voilé à la violence:

> Pour le salut de notre pays nous garderons le culte des *French motions,* le culte des principes et des idées françaises. Aux œuvres de défense et de reconstruction, à la cause suprême nous dévouerons les suprêmes ardeurs de nos vies; et, s'il le faut, eh bien! nous en faisons le serment: nous aussi nous y mourrons! [1]

La ligne d'évolution qui mène la pensée québécoise, d'abord de la révolution de 1837 aux discours de la fin du XIXe siècle, se boucle au XXe siècle par le processus d'évolution inverse. Partant des discours des militants nationalistes des années vingt, elle revient à la violence avec les révolutionnaires de la décennie soixante, après être passé par le libéralisme des années cinquante: inversement l'action des patriotes s'était mutée en 1844 dans le libéralisme de l'Institut canadien. Ainsi, la pensée québécoise se retrouve au point de départ:

> Le Québec n'existe pas. Il n'est encore qu'une passion, une maladie à guérir ou — au mieux — une promesse à tenir. [2]

Autant en emporte le vent! pourrait-on dire sur un ton lugubre. Mais là n'est pas la position des Vallières, des Gagnon et des militants activistes de la fin des années 60. Pour eux, et nous poursuivons la pensée marxiste, l'«analyse véritablement scientifique de la réalité» force l'individu à constater que pour que la collectivité atteigne «la libération matérielle et spirituelle» [3] dans laquelle l'histoire l'a précipitée, il faut nécessairement passer par le stade révolutionnaire. Les écrits de Pierre Vallières tout comme ceux de Charles Gagnon sont destinés à illustrer et à justifier cette position. Avec eux, tout en lui donnant une certaine importance, la révolution nationale cède le pas à la révolution universelle en ce sens que la première, à cause des impératifs capitalistes-impérialistes, ne saurait s'accomplir avec profit que si la seconde en même temps se réalise. Nous reconnaissons ici la même préoccupation «universelle» que chez les citélibristes:

> La révolution n'est possible qu'à l'échelle mondiale parce que l'ennemi a une puissance à la mesure du monde. [4]

Nous ne sommes peut-être là, encore une fois, pas très loin du messianisme et du gigantisme presque inévitables. Les dirigeants des mouvements idéologiques révolutionnaires pas plus que leurs prédé-

---

1 Lionel Groulx, *L'Action française, 1,* no 9, septembre 1917, p. 272.

2 Jacques Brault, *Parti pris, 2,* nos 10-11, juin-juillet 1965, p. 9.

3 Charles Gagnon, «Pourquoi la révolution», *Parti pris, 5,* no 5, février 1968, p. 30.

4 Charles Gagnon, *op. cit.,* p. 30. Nous nous souvenons en passant que Gagnon et Vallières ont passé quelques années à *Cité libre* et qu'ils ont même falli noyauter la revue en 1964*!*

cesseurs ne semblent pouvoir l'éviter. Leur credo cependant sait garder la mesure de l'homme et leur idéalisme celle du bonheur humain. Dans un monde impossible à vivre, ils veulent élaborer, par la révolution, un monde meilleur qui ne sera plus tel qu'il est mais «tel que nous le voulons» par la construction d'«une société nouvelle»[5]. C'est le monde de l'espoir:

> Notre idéal est de faire en sorte que, par une action pratique, qui se nomme une révolution, chaque exploité, chaque humilié, chaque frustré, puisse être en mesure de se mettre en valeur en tant que personne, et cela le plus tôt possible.[6]

Un espoir capable de voir, ou qui veut voir, une vie possible pour le Québec culturel et social dans le monde américain de demain et d'aujourd'hui.

Mais il en est aussi pour qui l'horizon culturel et social est plus brumeux, et l'avenir moins euphorique. Regardant ce qui n'a pas été et regardant les possibilités réelles du futur, plusieurs penseurs s'interrogent, avec plus ou moins de franchise et avec une certaine peur qui les retient. Leurs conclusions sont un rien inquiétantes. La réalité québécoise, en prospective, perd de sa probabilité et tombe dans une problématique d'où elle a peu de chance de sortir vivante ou victorieuse. Ce qui revient au même, puisque vivre pour le Québec a toujours été et sera toujours une victoire sur un destin qui, comme l'oracle Durham, le condamne à une asphyxie à laquelle il n'a su échapper, jusqu'à présent, que par un total repliement sur lui:

> Finalement, le Québec n'est ni plus ni moins qu'un pays de la mort. Le jour où on devient conscient de ce qu'on n'a pas été, de ce qu'on pourrait être et de ce qu'on devrait être, on se rend compte qu'à plus ou moins court terme on est face à la mort.[7]

Devant cette mort à plus ou moins brève échéance, bien sûr qu'il y a le bouclier important de ceux qui misent sur l'espoir, et dont l'effort pour trouver une solution pourrait amener la vie. Mais le petit nombre de ceux qui cherchent, et le contexte nord-américain, rendent difficile le lever du soleil des lendemains meilleurs. L'économie environnante, la société américaine et la culture populaire en pleine explosion d'une part, et d'autre part, l'apathie généralisée du peuple québécois, sa culture inapte à rencontrer les exigences de tous et son organisation sociale peu propice aux grandes mutations conduisent à un défaitisme

---

5 *Ibid.*, p. 32.

6 Pierre Vallières, *Nègres blancs d'Amérique*, p. 332.

7 Jean-Pierre Lefebvre, Interview avec Jean-Pierre Lefebvre, *Le Devoir*, 1er février 1969.

honteux de lui-même dont l'expression s'environne toujours du «peut-être» de l'indécision. Lorsque Jean-Pierre Lefebvre, reprenant l'expression de son ami, Marcel Sabourin, lance cette condamnation:

> Le Québec est peut-être appelé à devenir l'Irlande de la fin du siècle! [8]

il exprime là une réalité qui est la conviction de plus d'un penseur qui n'ose s'exprimer avec autant de réalisme.

Entre un Jean-Pierre Lefebvre qui envisage dans un avenir prochain la mort de la société québécoise et un Pierre Vallières qui en chante la renaissance dans une vie nouvelle, la pensée peut hésiter. Un instant seulement. Car si l'on y regarde de près, peut-être disent-ils la même chose. La révolution sociale dont parle Pierre Vallières, de sa propre attestation, ne saurait se faire seule. Elle n'a de possibilité qu'en autant qu'elle s'associe à un mouvement dont la dimension ne peut être qu'internationale. Pour sortir le Québec de sa problématique actuelle, il faut, dans la perspective révolutionnaire, le libérer de ce qu'il fut et de ce qui assura sa survie, son passé rural, catholique et français. Cela lui permettrait d'accéder à des valeurs plus grandes, dont bien sûr, la collectivité elle-même profiterait d'abord. Mais ce profit ne saurait lui être donné sans que le Québec ne sorte de la serre chaude, où l'ont «cultivé» ses élites successives, pour s'unir à un monde dans lequel fatalement — les exigences historico-sociales le veulent — il se fondrait. A son plus grand profit, puisque son isolement a toujours été la cause de ses malheurs. Ainsi, que ce soit par la voix pessimiste de Jean-Pierre Lefebvre ou sous la plume humanitaire de Pierre Vallières, la pensée québécoise des dernières années semble mener l'observateur à une même conclusion: celle d'une société que la nécessité du changement conduit irrémédiablement à une mutation globale dont la renaissance ne saurait s'opérer que par la mort de cette même société. Ainsi à différents signes, qui par des voix diverses mènent à une même conclusion, pouvons-nous reconnaître que «la patience de durer» [9], dont parle Fernand Dumont dans *L'Histoire de la littérature française du Québec,* est sur le point de devenir, si ce n'est déjà fait, L'IMPATIENCE DE MOURIR.

---

8 Jean-Pierre Lefebvre, Interview avec Jean-Pierre Lefebvre, *op. cit.*

9 F. Dumont, *Histoire de la littérature française du Québec,* Tome III, p. 16.

Bibliographie

I Sources

A — Générales

BARBEAU, Raymond, *J'ai choisi l'indépendance,* Montréal, HMH, 1963.

BARBEAU, Victor, *Mesure de notre taille,* Montréal, *Le Devoir*, 1936.

BORDUAS, Paul-Emile, *Refus global,* Saint-Hilaire est, Mithra-Mythe, 1948.

BOUCHETTE, E., *L'indépendance économique du Canada français,* Arthabaska, Cie d'imprimeur, 1906.

BUIES, Arthur, *Lettres sur le Canada, étude sociale,* Réédition-Québec, 1968.

CASGRAIN, H.-R., «Le mouvement littéraire au Canada», *Œuvres complètes, I,* Montréal, Beauchemin, 1896, p. 353-375.

CHAPAIS, Thomas, *Mélanges,* Québec, *L'Evénement,* 1905.

DAVID, L.-O., *Mélanges historiques et littéraires,* Montréal, Beauchemin, 1917.

DUMONT, F. et FALARDEAU, J.-C., *Littérature et société canadienne-française,* Québec, P.U.L., 1964.

ETHIER-BLAIS, J., *Signets II,* Montréal, C.L.F., 1967.

FOURNIER, Jules, *Mon encrier,* Montréal, Fides, 1965.

GAGNON, Marcel-A., *La Lanterne d'Arthur Buies,* Montréal, HMH, 1964.

GAGNON, Ernest, *L'Homme d'ici,* Montréal, HMH, 1963.

GARNEAU, François-Xavier, *Histoire du Canada,* 3 volumes, Montréal, Beauchemin, 4e édition, 1882.

GERIN-LAJOIE, A., *Jean Rivard, économiste,* Montréal, Beauchemin, 4e édition, 1925.

GROULX, Lionel, *Notre maître le passé,* Montréal, Granger, 1936.

HARVEY, J.-C., *Pages de critique,* Québec, *Le Soleil,* 1926.

HUSTON, James, *Répertoire national,* 4 volumes, Montréal, Valois, 1893.

LAFLECHE, F.-L., *Quelques considérations sur les rapports de la société avec la religion et la famille,* Montréal, 1886.

LECLERC, Gilles, *Journal d'un inquisiteur,* Montréal, Ed. de l'aube, 1960.

NEVERS, E. de, *L'avenir du peuple canadien-français,* Montréal, Fides, Nénuphar, 1964.

OUELLET, Fernand, *Papineau,* «Cahiers de l'Institut d'histoire», Québec, P.U.L., 1958.

PAQUET, Louis-A., «La vocation de la race française en Amérique» Bréviaire du Patriote canadien-français, Montréal, *Action française,* 1925.

ROUTHIER, A.-B., *Causeries du dimanche,* Montréal, Beauchemin, 1871.

ROUTHIER, A.-B., *Conférences et discours,* Montréal, Beauchemin, 1904, *I* et *II*.

RIVARD, Adjutor, *Chez nos gens,* Québec, L'Action sociale catholique, 1918.

SAINT-DENYS GARNEAU, H. de, *Journal,* Montréal, Beauchemin, 1962.

SAVARD, Félix-Antoine, *L'Abatis,* Montréal, Fides, 1943.

SEGUIN, Maurice, *L'idée d'indépendance au Québec, Genèse et historique,* Trois-Rivières, Boréal Express, 1969.

TARDIVEL, J.-P., *Mélanges,* Québec, La Vérité, 1887.

TETU, H, et GAGNON, C.-O., *Mandements, lettres pastorales et circulaires des Evêques de Québec,* 8 volumes, Québec, Côté, 1887-1893.

TRUDEAU, Pierre Elliott, *La grève de l'amiante,* Montréal, *Cité libre,* 1956.

TRUDEAU, Pierre Elliott, *Le fédéralisme et la société canadienne-française,* Montréal, HMH, 1967.

VADEBONCOEUR, Pierre, *La ligne du risque,* Montréal, HMH, 1963.

VALLIERES, Pierre, *Nègres blancs d'Amérique,* Montréal, *Parti pris,* nouvelle édition revue et corrigée, 1969.

__________________, *Mandements, lettres pastorales, circulaires et autres documents publiés dans le diocèse de Montréal depuis son érection,* Montréal, Plinguet, 1887, *7.*

B — Particulières

AQUIN, Hubert, «La fatigue culturelle du Canada français», *Liberté,* 4e année, no 23, mai 1962, p. 299-325.

ASSELIN, Olivar, «En guise de programme», *L'Ordre,* première année, no 1, 10 mars 1934, p. 2.

BOURASSA, Henri, «Le rôle des Canadiens français», conférence prononcée au Cercle Ville-Marie en 1900, *L'Action nationale, 43,* no 1, Montréal, 1954, p. 113-138.

CHAMBERLAND, Paul, «Aliénation culturelle et révolution nationale», *Parti pris, I,* no 2, novembre 1963, p. 10-22.

CHAMBERLAND, Paul, «De la damnation à la liberté», *Parti pris, I,* nos 9-10-11, été 1964, p. 53-89.

DE CELLES, A.-D., «Notre avenir», *Le Canada français, 1,* Québec, Demers, 1888, p. 261-273.

DESMARCHAIS, Rex, «Le colonialisme nécessaire», *Revue dominicaine, L,* Tome I, mars 1944, p. 152-162.

DIONNE, Yvon, «Vers une révolution totale», *Parti pris, I,* no 1, octobre 1963, p. 31-36.

ETHIER-BLAIS, Jean, «Explosion créatrice», *Relations,* décembre 1969, p. 342-345.

ETHIER-BLAIS, Jean, «L'être minoritaire», *Liberté, 4,* no 21, mars 1962, p. 84-90.

GAGNON, Jean-Louis, Introduction à J.-C. Harvey, *Jeunesse,* Coll. «Les Cahiers noirs», Québec, Ed. du quotidien, 1934, p. 6-14.

GARNEAU, F.-X., «A Lord Durham», *Le Canadien,* 8 juin 1838.

GROULX, Lionel, «La bourgeoisie et le national», dans *L'avenir de notre bourgeoisie,* Montréal, Valiquette, 1939, p. 93-125.

GROULX, Lionel, *Notre avenir politique,* Montréal, *L'Action française,* 1923, p. 7-30.

GROULX, Lionel, «Une action intellectuelle», *L'Action française, 1,* no 2, 1917.

GUIMOND, Lionel, «La vie intellectuelle du Canadien de la première génération après la conquête: 1760-1790.», *Incidences,* no 7, mars 1963, p. 31-45.

HEBERT, Anne, «Le Québec, cette aventure démesurée», dans *Un centenaire 1867-1967,* brochure distribuée par *La Presse,* semaine du 13 février 1967, p. 16-17.

LAURENDEAU, André, «Conclusions très provisoires», *L'Action nationale, 31,* juin 1948, p. 413-424.

LAURENDEAU, André, «Manifeste», *Le Semeur,* sept.-oct. 1934, 31e année, nos 1-2, 1-5.

LEFEBVRE, Jean-Pierre, Interview avec Jean-Pierre Lefebvre, *Le Devoir,* 1er février 1969.

LEGER, Jean-Marc, «L'incertitude d'un Québec mélancolique», *Dimensions,* mars 1969, p. 72-93.

LEVESQUE, Georges-Henri, «La nouvelle chaire de coopération à l'Université Laval», *L'Action nationale, XI,* nov. 1938, p. 217-221.

LEVESQUE, Georges-Henri, «Socialisme canadien», *L'Action nationale, 2,* octobre 1933, p. 91-116.

MAHEU, Pierre, «De la révolte à la révolution», *Parti pris, I,* no 1, octobre 1963, p. 5-22.

MAHEU, Pierre, «Le dieu canadien-français contre l'homme québécois», *Parti pris, IV,* nos 3-4, nov.-déc. 1966, p. 35-57.

MAJOR, André, «Grandeur et misère de la jeunesse», *Le Devoir,* 30 décembre 1967.

MONTPETIT, E., «Notre avenir», *Revue trimestrielle canadienne,* février 1917, *2.*

MONTPETIT, E., «Six jours à Berkeley», *Revue trimestrielle canadienne,* mai 1918, p. 6-9.

MONTPETIT, E., «Vers la supériorité», *L'Action française, I,* no 1, 1917, p. 1.

OUELLET, Fernand, «Les fondements historiques de l'option séparatiste», *Liberté,* 4, no 21, mars 1962, p. 90-113.

PARENT, Etienne, «De la position et des besoins de la jeunesse canadienne-française», *Répertoire national, IV,* Montréal, Valois, 1893.

PARENT, Etienne, «De l'industrie considérée comme moyen de conserver la nationalité canadienne-française», *Répertoire national, IV,* Montréal, Valois, 1893.

PARENT, Etienne, «Du prêtre et du spiritualisme dans leurs rapports avec la société», *Répertoire national, IV,* Montréal, Valois, 1893.

PARENT, Etienne, «Du travail chez l'homme», *Répertoire national, IV,* Montréal, Valois, 1893.

PELLETIER, Gérard, «Entretien avec Gérard Pelletier», *Liberté, 7,* no 3, mai-juin 1965, p. 217-253.

PIOTTE, Jean-Marc, «Du duplessisme au F.L.Q.», *Parti pris, I,* octobre 1963, p. 18-30.

PREFONTAINE, Yves, «Parti pris», *Liberté, 4,* no 23, mai 1962, p. 291-298.

La Relève, «Un nouveau moyen âge», texte signé par l'Equipe, *1,* cahier no 8, 1935, p. 210-214.

SAUCIER, Pierre, «Réforme ou révolutionnaire?», *Maintenant,* no 35, novembre 1964, p. 349-351.

TRUDEAU, Pierre Elliott, «Pour une politique fonctionnelle» *Cité libre, I,* no 1, juin 1950, p. 23-26.

VALDOMBRE, «D'une culture canadienne-française», *L'Action nationale, 17,* juin 1941, p. 538-543.

____________, «Manifeste des jeunes», *L'Action nationale, I,* février 1933, p. 117-128.

C. *Revues*

L'ACTION FRANCAISE, 1917-1928
Directeurs: Lionel Groulx, Omer Héroux.
Rédacteurs: Joseph Papin-Archambault, Hermas Bastien, Emile Bruchési, Jean Bruchési, Emile Chartier, Esdras Minville, Edouard Montpetit et autres.

L'ACTION NATIONALE, 1931-
Directeurs: Harry Bernard, Arthur Laurendeau, André Laurendeau.
Rédacteurs: François-Albert Angers, Dominique Beaudin, René Chaloult, Roger Duhamel, Guy Frégault, Ernest Gagnon, François Hertel, Pierre Laporte, Jean-Marc Léger, Gilles Marcotte et autres.

VIVRE, 1934-1935
Directeur: Jean-Louis Gagnon.
Rédacteurs: Pierre Chalout, Gérard Dagenais.

LA RELEVE, 1934-1941
Directeurs: Paul Beaulieu, Robert Charbonneau.
Rédacteurs: Paul Beaulieu, Louis Chevalier, Roger Duhamel, Robert Elie, Claude Hurtubise, Madeleine Riopel.

CITE LIBRE: 1950-1966
Directeurs: Gérard Pelletier, Pierre Elliott Trudeau.
Rédacteurs: Maurice Blain, Réginald Boisvert, Pierre Charbonneau, Guy Cormier, Fernand Dumont, Charles Gagnon, Jacques Hébert, André Lefebvre, Jean Pellerin, Jacques Tremblay, Pierre Vadeboncœur, Pierre Vallières.

LA REVUE SOCIALISTE, 1959-
Directeur: Raoul Roy.
Rédacteurs: Jean-Paul d'Amours, Jacques Ferron et autres.

LIBERTE, 1959-
Directeurs: Jacques Godbout, J.-G. Pilon.
Rédacteurs: Hubert Aquin, André Belleau, Maurice Blain, J.-C. Falardeau, Jean Filiatrault, Gilles Hénault, Paul-Marie Lapointe, Claire Martin, Yves Préfontaine, Michel Van Schendel.

PARTI PRIS, octobre 1963-janvier 1968
Directeurs: Philippe Bernard, André Brochu, Paul Chamberland, Pierre Maheu.
Rédacteurs: Jacques Brault, Jacques Ferron, Charles Gagnon, Laurent Girouard, Gérald Godin, Gaston Miron, Jean-Marc Piotte, Jacques Renaud, Patrick Straram, Pierre Vadeboncœur, Pierre Vallières.

II Etudes

A — Générales

Archives des lettres canadiennes, *Mouvement littéraire de Québec 1860*, tome 1, Ottawa, Université d'Ottawa, 1961.

BEAULIEU, A. et HAMELIN, J., *Les journaux du Québec de 1764 à 1964,* Québec, P.U.L., 1965.

BERGERON, Gérard, *Le Canada français après deux siècles de patience,* Paris, Seuil, 1967.

DURHAM (Lord), *Le rapport Durham,* Montréal, Ed. Ste-Marie, cahiers 13-14, 1969.

FALARDEAU, J.-C., *Notre société et son roman,* Montréal, HMH, 1967.

FALARDEAU, J.-C. et SYLVESTRE, G., éd., *Structures sociales du Canada français,* Québec, P.U.L., 1966.

FREGAULT, G. et TRUDEL, M., *Histoire du Canada par les textes,* 2 volumes, Montréal, Fides, 1963.

GRANDPRE, Pierre de, *Histoire de la littérature française du Québec,* 4 volumes, Montréal, 1967, 1969, 1970.

HULLIGER, Jean, *L'enseignement social des évêques canadiens de 1891 à 1950,* Montréal, Fides, 1958.

MARCOTTE, Gilles, *Une littérature qui se fait,* Montréal, HMH, 1962.

MARION, Séraphin, *Les lettres canadiennes d'autrefois,* 9 volumes, Ottawa, Université d'Ottawa, 1939-1958.

RIOUX, Marcel, *La question du Québec,* Paris, Seghers, 1969.

SYLVESTRE, Guy, *Structures sociales du Canada français,* Québec, P.U.L., 1966.

TOUGAS, Gérard, *Histoire de la littérature canadienne,* Paris, P.U.F., 1964.

TRUDEL, Marcel, *L'influence de Voltaire au Canada,* 2 volumes, Montréal, Fides, 1945.

VIATTE, Auguste, *Histoire de la littérature de l'Amérique française,* Paris, P.U.F., 1954.

WADE, Mason, *Les Canadiens français de 1760 à nos jours,* 2 volumes, Montréal, Le Cercle du Livre de France, 1963.

B — Particulières

BEAULIEU, A. et HAMELIN, J., «Aperçu du journalisme québécois d'expression française», *Recherches sociographiques, VII,* no 3, 1966, p. 305-348.

BEAULIEU, Maurice et NORMANDEAU, André, «Le rôle de la religion à travers l'histoire du Canada français», *Cité libre, XVI,* no 71, nov. 1964, p. 15-24.

BRUNET, Michel, «La Conquête anglaise et la déchéance de la bourgeoisie canadienne», *Amérique française,* juin 1965, p. 19-84.

BRUNET, Michel, «Trois dominantes de la pensée canadienne-française», dans *Ecrits du Canada français,* no 3, 1957, p. 33-117.

DUMONT, Fernand, «La recherche d'une nouvelle conscience», dans Pierre de Grandpré, *Histoire de la littérature française du Québec, III,* Montréal, Beauchemin, 1969, p. 15-22.

FALARDEAU, J.-C., «Evolution des structures sociales et des élites du Canada français», dans Guy Sylvestre, éd., *Structures sociales du Canada français,* Québec, P.U.L., 1966, p. 3-13.

FALARDEAU, J.-C., «Vie intellectuelle et société au début du siècle: continuité et contrastes», dans Pierre de Grandpré, *Histoire de la littérature française du Québec, II,* Montréal, Beauchemin, 1969, p. 19-33.

LEBEL, Maurice, «L'essai dans la littérature canadienne-française», *Enseignement secondaire, VI,* no 6, p. 459-478; *VI,* no 7, p. 558-568.

MAJOR, André, «Pour une pensée québécoise», dans *Voix et images du Pays,* Cahiers Sainte-Marie, no 4, p. 125-131.

OUELLET, Fernand, «Nationalisme canadien-français et laïcisme au XIXe siècle», *Recherches sociographiques, IV,* no 1, Québec, P.U.L., 1963, p. 47-70.

RIOUX, Marcel, «Idéologie et crise de conscience du Canada francais», *Cité libre, III,* no 14, décembre 1955, p. 1-28.

SEGUIN, Maurice, «La Conquête et la vie économique des Canadiens», *L'Action nationale, 28,* décembre 1946, p. 308-326.

SYLVAIN, Philippe, «Quelques aspects de l'antagonisme libéral-ultramontain au Canada français», dans *Recherches sociographiques, VIII,* no 3, sept.-déc. 1967, p. 275-297.

VACHON, Georges-André, «Une pensée incarnée», *Etudes françaises,* numéro spécial, Une littérature de combat, 1778-1810, *5,* no 3, Montréal, août 1969, p. 249-258.

Cahiers du Québec

1
Champ Libre 1:
Cinéma, Idéologie, Politique
(en collaboration)
Coll. Cinéma

2
Champ Libre 2:
La critique en question
(en collaboration)
Coll. Cinéma

3
Joseph Marmette
Le Chevalier de Mornac
présentation par:
Madeleine Ducrocq-Poirier
Coll. Textes et Documents littéraires

4
Patrice Lacombe
La terre paternelle
présentation par:
André Vanasse
Coll. Textes et Documents littéraires

5
Fernand Ouellet
Eléments d'histoire sociale du Bas-Canada
Coll. Histoire

6
Claude Racine
L'anticléricalisme dans le roman québécois 1940-1965
Coll. Littérature

7
Ethnologie québécoise I
(en collaboration)
Coll. Ethnologie

8
Pamphile Le May
Picounoc le Maudit
présentation par:
Anne Gagnon
Coll. Textes et Documents littéraires

9
Yvan Lamonde
Historiographie de la philosophie au Québec 1853-1971
Coll. Philosophie

10
L'homme et l'hiver en Nouvelle-France
présentation par:
Pierre Carle
et Jean Louis Minel
Coll. Documents d'histoire

11
Culture et langage
(en collaboration)
Coll. Philosophie

12
Conrad Laforte
La chanson folklorique et les écrivains du XIXe siècle, en France et au Québec
Coll. Ethnologie

13
L'Hôtel-Dieu de Montréal
(en collaboration)
Coll. Histoire

14
Georges Boucher de Boucherville
Une de perdue, deux de trouvées
présentation par:
Réginald Hamel
Coll. Textes et Documents littéraires

15
John R. Porter et Léopold Désy
Calvaires et croix de chemins du Québec
Coll. Ethnologie

16
Maurice Emond
Yves Thériault et le combat de l'homme
Coll. Littérature

17
Jean-Louis Roy
Edouard-Raymond Fabre, libraire et patriote canadien 1799-1854
Coll. Histoire

18
Louis-Edmond Hamelin
Nordicité canadienne
Coll. Géographie

19
J.P. Tardivel
Pour la patrie
présentation par:
John Hare
Coll. Textes et Documents littéraires

20
Richard Chabot
Le curé de campagne et la contestation locale au Québec de 1791 aux troubles de 1837-38
Coll. Histoire

21
Roland Brunet
Une école sans diplôme pour une éducation permanente
Coll. Psychopédagogie

22
Le processus électoral au Québec
(en collaboration)
Coll. Science politique

23
Partis politiques au Québec
(en collaboration)
Coll. Science politique

24
Raymond Montpetit
Comment parler de la littérature
Coll. Philosophie

25
A. Gérin-Lajoie
Jean Rivard le défricheur
suivie de *Jean Rivard économiste*
Postface de
René Dionne
Coll. Textes et Documents littéraires

26
Arsène Bessette
Le Débutant
Postface de
Madeleine
Ducrocq-Poirier
Coll. Textes et Documents littéraires

27
Gabriel Sagard
Le grand voyage du pays des Hurons
présentation par:
Marcel Trudel
Coll. Documents d'histoire

28
Věra Murray
Le Parti québécois
Coll. Science politique

29
André Bernard
Québec: élections 1976
Coll. Science politique

30
Yves Dostaler
Les infortunes du roman dans le Québec du XIXe siècle
Coll. Littérature

31
Rossel Vien
Radio française dans l'ouest
Coll. Communications

32
Jacques Cartier
Voyages en Nouvelle-France
Texte remis en français moderne par
Robert Lahaise et
Marie Couturier
avec introduction et notes
Coll. Documents d'histoire

33
Jean-Pierre Boucher
Instantanés de la condition québécoise
Coll. Littérature

34
Denis Bouchard
Une lecture d'Anne Hébert
La recherche d'une mythologie
Coll. Littérature

35
P. Roy Wilson
Les belles vieilles demeures du Québec
Préface de
Jean Palardy
Coll. Beaux-Arts

36
Habitation rurale au Québec
(en collaboration)
Coll. Ethnologie

37
Laurent Mailhot
Anthologie d'Arthur Buies
Coll. Textes et Documents littéraires

38
Edmond Orban
Le Conseil nordique: un modèle de Souveraineté-Association?
Coll. Science politique

39
Christian Morissonneau
La Terre promise: Le mythe du Nord québécois
Coll. Ethnologie

40
Dorval Brunelle
La Désillusion tranquille
Coll. Sociologie

41
Nadia F. Eid
Le clergé et le pouvoir politique au Québec
Coll. Histoire

42
Marcel Rioux
Essai de sociologie critique
Coll. Sociologie

43
Gérard Bessette
Mes romans et moi
Coll. Littérature

44
John Hare
Anthologie de la poésie québécoise du XIXe siècle (1790-1890)
Coll. Textes et Documents littéraires

45
Robert Major
Parti pris: idéologies et littérature
Coll. Littérature

46
Jean Simard
Un patrimoine méprisé
Coll. Ethnologie

47
Gaétan Rochon
Politique et contre-culture
Coll. Science politique

Achevé d'imprimer par les travailleurs
des ateliers Marquis Limitée de Montmagny
en août 1979